Los timadores

JIM THOMPSON

LOS TIMADORES

Traducción de

M.ª ANTONIA FERNÁNDEZ ÁLVAREZ-NAVA

RBA

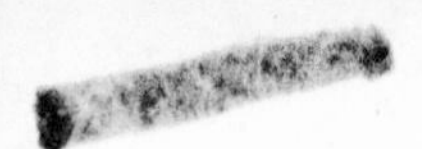

Título original inglés: *The Grifters.*

Publicado por acuerdo con el autor,
C/O BAROR INTERNATIONAL, INC.,
Armonk, New York, U.S.A.

Avda. Diagonal, 189 - 08018 Barcelona.
rbalibros.com

Primera edición en esta colección: enero de 2018.

REF: OBFI237
ISBN: 978-84-9056-971-9
DEPÓSITO LEGAL: B. 28.475-2017

Impreso en España - *Printed in Spain*

1

Cuando Roy Dillon salió tambaleándose del establecimiento, su rostro era de un amarillo enfermizo y cada respiración le suponía una intensa agonía. Un golpe fuerte y bien dado en el estómago puede hacerle eso a cualquiera, y Dillon acababa de recibir uno de los buenos. No con el puño, que ya de por sí hubiera sido bastante duro, sino con el extremo de un bate de béisbol.

Regresó al coche sin saber cómo y consiguió deslizarse en el asiento. Pero eso fue todo lo que pudo hacer. Gimió cuando, al cambiar de postura, se le tensaron los músculos abdominales. Acto seguido, sacó la cabeza por la ventanilla y lanzó un ahogado quejido.

Pasaron varios coches mientras vomitaba. Sus ocupantes sonreían, burlones, fruncían el ceño compasivamente o desviaban la mirada con repugnancia. Pero Roy Dillon estaba demasiado hecho polvo para darse cuenta, o en caso de haberse percatado, para preocuparse lo más mínimo. Se sintió bastante mejor después de vaciar el estómago, aunque no tan bien como para conducir. Para entonces, un coche patrulla se había detenido tras él. Se trataba del coche del sheriff, ya que se encontraba a las afueras de la ciudad de Los Ángeles, en la jurisdicción del condado. Un agente con uniforme marrón lo invitó a salir a la acera. Dillon obedeció, vacilante.

—¿Una de más, señor?

—¿Qué?

—No importa. —El policía se había percatado de la ausencia de alcohol en su aliento—. Enséñeme su permiso de conducir, por favor.

Dillon se lo mostró desplegando a la vez, con aparente distracción, un surtido de tarjetas de crédito. El recelo se desvaneció de la expresión del policía, dando paso a la preocupación.

—Parece usted muy enfermo, señor Dillon. ¿Alguna idea del porqué?

—La comida, imagino. Debí tener más cuidado, pero he comido un bocadillo de pollo con ensalada... No tenía muy buen sabor, pero... —Dejó que su voz se desvaneciera poco a poco mostrando una tímida sonrisa de arrepentimiento.

—Hum. —El policía asintió muy serio—. Sí, debe de haber sido esa bazofia. En fin... —Una perspicaz mirada de arriba abajo—. ¿Ya se encuentra bien? ¿Quiere que lo llevemos a un médico?

—Oh, no es necesario. Ya estoy mejor.

—En el cuartelillo tenemos a un enfermero de primeros auxilios. No hay problema en llevarlo.

Roy declinó la oferta, amablemente pero con firmeza. Cualquier contacto prolongado con la pasma quedaría registrado, y ese tipo de registros acaban resultando una molestia. Hasta ahora estaba limpio; los follones en los que se había metido hasta ese momento nunca habían acabado en la policía. Y tenía la intención de continuar así.

El agente regresó al coche patrulla y él y su compañero se alejaron. Roy los despidió con la mano y volvió a meterse en el coche. Con cautela, esbozando una leve mueca de dolor, encendió un cigarrillo. Convencido de que los vómitos se habían terminado, hizo un esfuerzo por apoyarse en el cabezal.

Se encontraba en un barrio de las afueras de Los Ángeles, uno de los muchos que se resisten a la incorporación a pesar de depender de la ciudad y de la ausencia de fronteras visibles. Desde allí, había unos cincuenta kilómetros hasta la ciudad, cincuenta larguísimos kilómetros a aquella hora del día. Necesitaba recuperarse un poco, descansar un rato antes de sumergirse en la desbordada marea del tráfico vespertino. Y, aún más importante, necesitaba reconstruir los detalles de su reciente desastre mientras estos aún permanecieran frescos en su mente.

Cerró los ojos por un instante. Volvió a abrirlos para enfocarlos sobre las cambiantes luces del tráfico cercano. De repente, sin moverse del coche, sin apartarse físicamente de él, estaba de nuevo en el establecimiento. Bebía una limonada junto a la máquina de refrescos a la vez que examinaba los alrededores con aire despreocupado.

Se diferenciaba muy poco de las miles de tiendas de Los Ángeles, establecimientos en cuyo interior había siempre una máquina dispensadora de refrescos, una vitrina o dos con cigarrillos, puros y dulces, y estanterías rebosantes de revistas, novelas baratas y tarjetas de felicitación. En el este, esos locales se llaman «quioscos» o «tiendas de golosinas». Aquí generalmente se conocen como «confiterías» o sencillamente «fuentes».

Dillon era el único cliente. La otra persona presente era el dependiente, un joven grandullón, lleno de granos, de unos diecinueve o veinte años. Mientras Dillon terminaba su bebida, observaba al muchacho, que rascaba el hielo de los bordes de las neveras y trabajaba con una paradójica mezcla de diligencia e indiferencia. Sabía exactamente lo que había que hacer, su expresión lo reflejaba, y a la mierda con hacer más. Nada de lucimientos, nada para impresionar a la gente. Tenía que ser el hijo del jefe, decidió Dillon, que dejó el vaso en la barra y se levantó del taburete. Avanzó lentamente hacia la caja registradora, y el joven dejó a un lado el bate que estaba utilizando. A continuación, secándose las manos en el delantal, también se aproximó a la caja.

—Diez centavos —dijo.

—Y un paquete de esos caramelos.

—Veinte centavos.

—Veinte centavos, ¿eh? —Roy comenzó a rebuscar en sus bolsillos mientras el dependiente se iba agitando cada vez con más impaciencia—. Bueno, sé que tengo cambio, estoy seguro. Me pregunto dónde demonios... —Movió la cabeza con exasperación y sacó la cartera—. Lo siento. ¿Te importa cambiarme uno de veinte?

El dependiente casi le arrancó el billete de la mano. Lo introdujo bruscamente en un compartimento de la caja y contó el cambio. Dillon lo recogió con aire ausente sin dejar de rebuscar en sus bolsillos.

—En fin, ¿no es para perder los nervios? Sabes de sobra que tienes cambio y... —Se interrumpió abriendo los ojos y sonriendo complacido—. ¡Aquí están las dos monedas! Toma, devuélveme los veinte.

El chico cogió ambas monedas y le devolvió el billete. Dillon se dirigió, despreocupado, hacia la puerta y se detuvo en la salida para observar con indolencia una estantería de revistas.

Por décima vez ese día se había trabajado el de los «veinte», uno de los tres trucos típicos del «timo corto». Los otros dos son el «smack» y el «tat», generalmente buenos para golpes mayores, pero no tan rápidos ni tan seguros. Algunos primos pican con el de los «veinte» varias veces, y ni se enteran.

Dillon no vio que el dependiente salía de detrás del mostrador. De repente estaba allí con el ceño fruncido, balanceando el bate como si fuera un ariete.

—Asqueroso timador —aulló iracundo—. Los asquerosos timadores no paran de darme palos y luego mi padre me echa a mí la culpa.

El extremo más grueso del bate aterrizó en el estómago de Dillon. Incluso el chico se sobrecogió ante su efecto.

—Bueno, no puede acusarme, señor —balbució—. Lo estaba pidiendo a gritos. Le di el cambio de veinte dólares y luego me pidió que le devolviera el billete, y... y... —Su autoconvicción comenzó a desmoronarse—. Bu... bueno, sa... sabe que lo hizo, se... señor.

Roy no podía pensar en otra cosa que en su agonía. Volvió sus ojos acuosos hacia el dependiente, ojos desbordados por la perplejidad teñida de dolor. Aquella mirada hizo polvo al muchacho.

—Ha... ha si... sido un error, señor ¡u... usted co... cometió un error, y yo, yo he co... cometido un... señor! —Retrocedió aterrorizado—. ¡No... no me mire así!

—Me has matado. —Dillon jadeaba—. ¡Me has matado, cabrón de mierda!

—¡Nooo! ¡P... por favor, no... no diga e... eso, señor!

—Me estoy muriendo. —Dillon jadeó de nuevo y, entonces, de algún modo, logró salir del local.

Y ahora, sentado en su coche y reexaminando el incidente, no encontraba motivo alguno para culparse ni fisuras en su técnica. Había sido mala suerte. Se había topado con un idiota y eso es impredecible.

Estaba en lo cierto. Y también estaba en lo cierto sobre algo más, a pesar de que no lo sabía.

Mientras conducía de vuelta a Los Ángeles, pisando constantemente el freno para luego volver a acelerar, inmerso en el espeso tráfico, deteniéndose y reiniciando la marcha varias veces, cada minuto que transcurría, se estaba muriendo.

Su muerte podía ser evitada si tomaba las medidas oportunas. De lo contrario, no le quedaban más de tres días de vida.

2

La madre de Roy Dillon pertenecía a una de esas familias de un pueblo de mala muerte. Tenía trece años cuando se casó con un ferroviario de treinta, y no había cumplido los catorce cuando nació Roy. Un mes después del nacimiento, su marido sufrió un accidente y ella enviudó. Las circunstancias de este suceso la convirtieron en respetable según los criterios de la comunidad. Nada menos que doscientos dólares mensuales para gastarse en ella misma, que era justo en lo que tenía la intención de gastárselos.

Su familia, a la que muy pronto cargó con el mochuelo de Roy, tenía otras ideas. Acogieron al niño durante tres años y ocasionalmente lograron sacarle unos cuantos dólares a su hija. Pero un día su padre apareció en la ciudad con Roy bajo un brazo y blandiendo un látigo en el otro. Y procedió a demostrar su teoría de toda la vida de que una chica nunca era demasiado mayor para recibir una zurra.

Como el carácter de Lilly Dillon ya se había moldeado hacía mucho, cambió muy poco con los azotes. Pero se quedó a Roy, ya que no tenía otra elección, y, atemorizada por las severas amenazas de su padre de mantenerla vigilada, se alejó de su vista.

Tras instalarse en Baltimore, encontró un lucrativo y poco agotador empleo como chica de alterne. O para ser más exactos, era poco agotador por lo que a ella se refería. Lilly Dillon no se molestaba por nadie; al menos no por unos cuantos dólares o un par de copas. Su innata crueldad disgustaba a menudo a los clientes, pero atrajo la beneficiosa atención de sus jefes. Después de todo, el mundo estaba lleno de camareras, fulanas que se podían conseguir a cambio de una sonrisa o una ginebra. Pero una chica inteligente, una muñeca que no solamente tenía buena presencia y clase, sino que además era lista..., en fin, esa clase de chicas podía cumplir otras funciones.

Y la utilizaron dándole encargos cada vez de mayor responsabilidad. Como encargada, como reclutadora para una cadena de salas, como espía de empleados torpes y con dedos largos; como correo, alcahueta y sonsacadora; como recaudadora y distribuidora de fondos. Y así fue ascendiendo peldaños... ¿O sería más propio decir descendiéndolos? El dinero llovía, pero muy pocas gotas caían sobre su hijo.

Quería dejarlo en algún internado, pero desechó la idea, indignada, cuando le dijeron lo que costaba. Un par de miles de dólares al año, más un montón de extras, ¡y solo por cuidar a un crío!, ¡solo por evitar que se metiera en líos! De eso nada, por esa cantidad de dinero podía comprarse un bonito abrigo de visón.

Debían de creer que era una prima, pensó. Aunque era una lata, ella misma cuidaría de Roy. Y mejor que no se metiera en líos, porque si no lo despellejaría vivo.

No obstante, aunque bastante erosionados y atrofiados, aún conservaba ciertos instintos inextirpables, así que de tarde en tarde tenía sus momentos de conciencia. Además, había que hacer ciertas cosas por el bien de las apariencias, como eludir los cargos por abandono y la desagradable condena que acarreaban. En cualquier caso, evidentemente, Roy sabía que todo lo que hacía Lilly era pensando en sí misma, movida por el temor o para tranquilizar su conciencia.

Su actitud solía ser la de una egoísta hermana mayor hacia un latoso hermano pequeño. Se peleaban a menudo. Ella se complacía en reducir el beneficio de su hijo en algún trato mientras él saltaba a su alrededor con rabia e impotencia.

—¡Eres mala! Una vieja y sucia cerda, y nada más.

—No me insultes, mocoso. —Y le golpeaba—. ¡Ya te aprenderé!

—¡Aprenderme, aprenderme! ¡Eres tan tonta que no sabes que se dice enseñar!

—¡Claro que lo sé! ¡He dicho enseñar!

Roy era un estudiante excepcional y de excelente comportamiento. Aprender le resultaba sencillo, y el buen comportamiento le parecía simplemente cuestión de sentido común. ¿Para qué arriesgarse a tener problemas que no conducen a nada? ¿Para qué quedarse parado inútilmente después de la escuela cuando se puede estar repartiendo periódicos, llevando recados o haciendo de mozo? El tiempo era dinero, y el dinero era lo que hacía que el mundo girase.

Naturalmente, como era el chico más listo y de mejor comportamiento de la clase, los demás lo tenían en el punto de mira. Pero por más crueldad y frecuencia con que lo atacaran, Lilly solo le ofrecía una sardónica condolencia.

—¿Solo un brazo? —solía decirle cuando le mostraba el brazo magullado e hinchado.

O cuando se le había caído un diente:

—¿Solo un diente?

Y si aparecía con todo el cuerpo magullado como leve muestra de peores consecuencias futuras:

—Bueno, ¿por qué refunfuñas? Podrán matarte, pero no comerte.

Aunque parezca mentira, sus irónicos comentarios lo reconfortaban. Superficialmente eran peor que nada, meros insultos añadidos a las heridas, pero en el fondo ocultaban una escalofriante y cruel lógica. Una filosofía fatalista de «actúa o te joderán» que podía adaptarse a cualquier cosa excepto al olvido.

No sentía aprecio por Lilly, pero llegó a admirarla. No le había dado más que malos ratos, lo cual era la máxima extensión de su generosidad para con cualquiera. Pero se lo había montado bien, sabía perfectamente cómo cuidarse.

No mostró ningún punto débil hasta que Roy alcanzó la adolescencia y se convirtió en un chico atractivo y saludable con un pelo negro azabache y ojos grises de mirada profunda. Entonces, para su íntimo regocijo, comenzó a observar un sutil cambio en su actitud, un endulzamiento en su voz cuando le hablaba y un hambre contenida en sus ojos cuando lo miraba. Y viéndola así, sabiendo lo que se ocultaba tras ese cambio, se complacía en provocarla.

¿Algo iba mal? ¿Quería que se largara por un tiempo y la dejara en paz?

—Oh, no, Roy. De verdad, me... me gusta que estemos juntos.

—Mira, Lilly, sé que lo dices por educación. Mejor que me aparte de tu vida ahora mismo.

—Por favor, c... cielo... —Se mordía un labio con desacostumbrada ternura, un rubor de vergüenza se extendía por sus bellas facciones—. Por favor, quédate conmigo. Después de todo, soy tu madre.

Pero no lo era, ¿no lo recordaba? Siempre lo había hecho pasar por su hermano menor; era demasiado tarde para cambiar la historia.

—Mejor me voy ahora mismo, Lilly. Sé que tú lo deseas, es solo que no quieres herir mis sentimientos.

Había madurado muy temprano, cosa nada extraña dadas las circunstancias. Poco antes de cumplir los dieciocho años, la primavera en que se graduó en el instituto, era más maduro que un hombre de veinte.

Aquella noche le dijo a Lilly que se largaba. Para siempre.

—¿Largarte...? —Roy suponía que ya se lo esperaba, sin embargo no se resignaba—. Pero... pero no puedes. Tienes que ir a la universidad.

—Imposible. No tengo pasta.

Ella se rio agitada, lo llamó tonto. Evitaba su mirada, se negaba a ser abandonada como debería ya saber que ocurriría.

—¡Claro que tienes dinero! Yo tengo un montón, y todo lo que tengo es tuyo. Tú...

—«Todo lo que tengo es tuyo» —repitió Roy entrecerrando los ojos—. Sería un buen título para una canción, Lilly.

—Puedes ir a una de las universidades buenas de verdad, Roy. A Harvard o a Yale, o a algún sitio así. Tus notas son muy buenas, y con mi dinero..., nuestro dinero...

—Vamos, Lilly. Sabes que necesitas ese dinero para ti misma. Siempre ha sido así.

Ella se amedrentó como si le acabara de asestar un duro golpe, su rostro adquirió una expresión enfermiza y su elegante traje de repente parecía dos tallas más grande: una moraleja muy cruel para una vida que le había proporcionado de todo sin regalarle nada. Y por un instante Roy casi se apiadó de ella; casi le daba lástima.

Pero Lilly lo estropeó. Comenzó a sollozar, a vociferar como una niña, lo cual resultaba una tontería, una estupidez que no pegaba con Lilly Dillon. Y para rematar aquella ridícula y violenta representación apeló a su vena sensiblera.

—No seas cruel conmigo, Roy. Por favor, por favor, no. Me... me estás rompiendo el corazón...

Roy se rio a carcajadas. No pudo contenerse.

—¿Solo un corazón, Lilly? —le dijo.

3

Roy Dillon vivía en el hotel Grosvenor-Carlton, un nombre que sugería un esplendor absolutamente inexistente. Hacía alarde de disponer de cien habitaciones y cien baños, pero era un mero alarde. En realidad solo tenía ochenta habitaciones y treinta y cinco baños, incluyendo los del pasillo y los dos del vestíbulo, que poco tenían de baño.

Se trataba de un edificio de cuatro plantas con fachada de arenisca y un pequeño vestíbulo de suelo de terrazo. Los empleados eran ancianos pensionistas encantados de trabajar por un insignificante salario y una habitación gratuita. El botones negro, cuyo distintivo consistía en una vieja gorra de conductor de autobús, también hacía de conserje, ascensorista y manitas para todo. Con tales disposiciones, el servicio dejaba bastante que desear. Pero como el enérgico y jovial propietario apuntaba, el que tuviera prisa que se largara a uno de los hoteles de Beverly Hills, donde sin duda podría encontrar un bonito cuarto por cincuenta pavos al día en lugar de los cincuenta al mes que pedía el Grosvenor-Carlton.

En términos generales, el Grosvenor-Carlton se diferenciaba poco del resto de los hoteles «familiares» y «comerciales» que se extendían a lo largo de la West Seventh, Santa Mónica y otras arterias de la parte oeste de Los Ángeles, establecimientos que albergaban a parejas retiradas y a trabajadores que precisaban de un domicilio en las cercanías. La mayoría de estos últimos eran hombres solteros: dependientes y empleados de oficinas. El propietario tenía arraigados prejuicios contra las mujeres solas.

—Así son las cosas, señor Dillon —dijo la primera vez que habló con él—. Le alquilo una habitación a una mujer y tiene que tener baño dentro. Yo mismo insisto en ello, por supuesto, porque si no, ocupa el baño todo el tiempo para lavarse su maldito pelo y su ropa, y toda la mierda que se le ocurre. El precio mínimo por una habitación con baño es de diecisiete dólares semanales, casi ochenta pavos al mes, y solo por dormir, sin derecho a cocina. Y dígame, ¿cuántas tipas ganan lo suficiente para pagar ochenta al mes por un dormitorio y para comer de restaurante y comprar ropa y un montón de potingues pegajosos para untarse en esas caras que el Señor les ha dado y... y...? ¿Es usted un hombre temeroso de Dios, señor Dillon?

Roy asintió, alentándolo. Por nada del mundo hubiera interrumpido al propietario. La gente era su negocio; más concretamente, conocerla. Y el único modo de hacerlo era escucharla.

—Bien, yo también lo soy. Yo y mi última esposa, maldita sea, Dios la tenga en su seno, nos unimos a la Iglesia a la vez. Eso fue hace treinta y siete años, en Wichita Falls, en Texas, donde tuve mi primer hotel. Allí fue donde lo aprendí todo de las tipas. No ganan lo suficiente para pagar la habitación, ¿sabe?, y solo tienen un modo de conseguirlo. Vendiendo su material, ya sabe. Explotando las cochinas huchas que tienen. Al principio lo hacen de vez en cuando, lo justo para mantenerse. Pero muy pronto comienzan a abrir la hucha las veinticuatro horas; y por qué no, se dicen ellas. Todo lo que tienen que hacer es abrir su bonita ranurita y el dinero sale a chorros. Y claro, darle mala reputación al hotel les importa una mierda.

»Sí, sí, como le digo, señor Dillon. He tenido hoteles a lo largo y a lo ancho de esta maravillosa tierra nuestra y le aseguro que las furcias y la hostelería no combinan bien. Va en contra de la ley de Dios y en contra de las leyes del hombre. Uno cree que la policía está muy ocupada atrapando a los criminales de verdad en vez de meter las narices por ahí en busca de furcias, pero más vale prevenir que curar, como reza el dicho, y yo estoy de acuerdo. Prevención, ese es mi lema. Si mantienes a las tipas a distancia, si mantienes a las furcias a distancia, y tienes un bonito lugar limpio y respetable como este, sin un montón de polis merodeando por ahí. Claro, si un poli entra aquí ahora, sé que es nuevo y le digo que mejor vuelva cuando lo haya confirmado en comisaría. Y nunca vuelve, señor Dillon. Le queda muy clarito que no hace falta, porque esto es un hotel, no un burdel.

—Me alegra mucho oír eso, señor Simms —dijo Roy sinceramente—. Siempre he sido muy precavido con los lugares donde me alojo.

—Pues claro, un hombre tiene que serlo —asintió Simms—. Ahora veamos. Quería una suite con dos habitaciones; pongamos... salón, dormitorio y baño. La cosa es que aquí no hay mucha demanda de suites. Las partimos en dos, habitación con baño y sin él. Pero...

Abrió una puerta e hizo pasar a su futuro inquilino a un espacioso dormitorio cuyos techos altos rememoraban cierta solera de antes de la guerra. La puerta divisoria conducía a otra habitación, un duplicado de la primera, pero sin baño. Se trataba del antiguo salón, y Simms le aseguró a Roy que podía volver a serlo en un periquete.

—Seguro, podemos sacar la cama y estos muebles y traer los del salón en menos que canta un gallo. Mesa, sofá, sillas y todo lo que quiera dentro de lo razonable. Un mobiliario mejor del que haya visto jamás.

Dillon comentó que le gustaría echarle un vistazo y Simms lo condujo al almacén del sótano. De ningún modo se trataba de lo mejor que había visto, por supuesto, pero era decente y cómodo; no esperaba, ni tampoco quería, algo bueno de verdad. Tenía una imagen que mantener. La imagen de un joven que vivía bastante bien. Bien, pero sin exagerar.

Se interesó por el precio de la suite. Simms abordó el tema dando un rodeo, apuntando a la doble necesidad de mantener una clientela de primera clase, ya que él no admitía menos, por Dios, y de ganarse la vida, lo cual resultaba terriblemente duro para un hombre temeroso de Dios en aquellos tiempos.

—Ya ve, algunos de los tipos que entran aquí, quiero decir que intentan entrar aquí, son capaces de armarte una bronca por una bombilla fundida. No hay modo de complacerlos, ya me comprende. Son como los rateros, cuanto más sacan, más quieren. Pero así son las cosas, supongo, y como solíamos decir allá en Wichita Falls, si no puedes sujetar los postes, mejor no caves agujeros. Esto... ¿ciento veinticinco al mes, señor Dillon?

—Me parece razonable —sonrió Roy—. Me la quedo.

—Lo siento, señor Dillon. Me gustaría rebajársela un poco. No he dicho que no estuviera dispuesto a rebajarla si el inquilino se lo merece. Si garantiza, digamos, quedarse un mínimo de tres meses, bueno...

—Señor Simms... —empezó a decir Roy.

—... bueno, podría hacerle un precio especial. Podríamos decir...

—Señor Simms —repitió Dillon en tono firme—. Me quedaré un año entero. El alquiler del primer y último mes por adelantado. Y ciento veinticinco mensuales me parece bien.

—¿Le... le parece bien? —El propietario se mostraba incrédulo—. La alquilará por un año a ciento veinticinco y... y...

—Sí. No me gusta mudarme a menudo. Me gano la vida con mis negocios y me parece bien que los demás hagan lo mismo.

Simms tragó saliva. Estaba asombrado. Su panza se agitaba por encima de los pantalones, y todo su rostro, incluida la zona trasera de la calva, adquirió un tono rojizo de placer. Él era un perspicaz y experimentado conocedor de la naturaleza humana, declaró. Reconocía a los patanes en cuanto los veía, y también distinguía a los caballeros. Desde el primer instante había sabido que Roy Dillon pertenecía a esta última clase.

—Y además es listo —asintió con prudencia—. Sabe que no merece la pena escatimar con la vivienda. Qué demonios, ¿de qué sirve ahorrarse unos cuantos pavos por la habitación, si la gente que va a ver todos los días le acaban cogiendo manía?

—Tiene usted toda la razón —afirmó Dillon.

Simms añadió que estaba jodidamente seguro de que la tenía. Si por ejemplo había una investigación sobre un huésped del tipo patán, ¿qué podías decir aparte de que vivía allí y que era tu costumbre cristiana no contar nada sobre un hombre a menos que fuera algo bueno? Pero si el objeto de la investigación era un caballero, en fin, entonces estabas obligado a decir que lo era. No solo se alojaba en el hotel, sino que vivía en él, un hombre con personalidad y recursos que alquilaba por un año y...

Dillon asentía y sonreía, permitiendo que continuara su parloteo. El Grosvenor-Carlton era el sexto hotel que visitaba desde su llegada de Chicago. Todos le habían ofrecido habitaciones idénticas y tan baratas o más que las que acababa de alquilar. Pero todas tenían alguna pega, aunque fueran vagas e indefinibles. El aspecto no era el correcto. No le convencía la atmósfera. Solamente el Grosvenor-Carlton y Simms poseían el aspecto y la atmósfera adecuados.

—... una cosa más —estaba diciendo Simms—. Este es su hogar, ¿sabe? Al alquilar como usted lo hace es como si estuviera en un apartamento o en un chalé. Es su castillo, como dice la ley. Y si quisiera traer a algún huésped, ya sabe, a alguna mujer, está en su perfecto derecho.

—Gracias por aclarármelo —asintió Roy con gravedad—. Por el momento no tengo a nadie en mente, pero acostumbro a hacer amistades allá donde voy.

—Pues claro. Un hombre de tan buen aspecto como usted tiene que tener muchas amigas, y apuesto a que también tienen clase. No como esas de tacones de aguja que hacen polvo el suelo en cuanto pisan el vestíbulo.

—Jamás —le aseguró Dillon—. Soy muy cuidadoso con las amistades que hago, señor Simms, particularmente con las mujeres.

Y lo era. Durante sus cuatro años de estancia en el hotel solo tuvo una visita femenina, una treintañera divorciada, y todo en ella, aspecto, vestimenta y modales, era absolutamente satisfactorio incluso ante los ojos del exigente señor Simms. La única falta que podía encontrarle era que no aparecía muy a menudo. Porque Moira Langtry también era exigente. Si la hubiera dejado a su aire, cosa que Dillon trataba de evitar con frecuencia por cuestión de principios, no se habría acercado ni a dos kilómetros del Grosvenor-Carlton. Después de todo, ella tenía un bonito apartamento en propiedad, con dormitorio, dos cuartos de baño y minibar. Si de verdad deseaba verla, y ella comenzaba a dudar de que así fuera, ¿por qué no podía ir él hasta allí?

—Bien, ¿por qué no puedes? —decía Moira sentándose sobre la cama con el teléfono en la mano—. Es la misma distancia para ti que para mí.

—Pero tú eres mucho más joven, querida. Una muchachita como tú puede permitirse mimar a un viejo chocho.

—Piropearme no va a servirte de nada —dijo complacida—. Soy cinco años mayor que tú, y siento cada minuto de ellos.

Dillon sonrió. ¿Cinco años mayor? Y una mierda, tenía diez años más que él como mínimo.

—El hecho es que me encuentro algo mal —explicó—. No, no, nada contagioso. Resulta que anoche tropecé con una silla a oscuras y me di un buen golpe en el estómago.

—Bueno... Supongo que puedo ir...

—Esa es mi chica. Contendría la respiración si mi corazón no palpitara tanto.

—¿Sí? Oigámoslo.

—Pum, pum —dijo él.

—Pobrecito —dijo ella—. Moira se dará toda la prisa que pueda.

Debía de estar vestida para salir cuando él la llamó, porque tardó menos de una hora. O tal vez se lo pareció. Se había levantado para quitar el cerrojo para cuando ella llegara, y al volver a la cama se había sentido extrañamente cansado y mareado. De modo que permitió que sus ojos se cerraran, y cuando volvió a abrirlos, lo que le pareció un instante después, ella entraba en la habitación andando majestuosamente con sus zapatos de tacón alto; una mujer rellena pero con curvas, de pelo negro y liso y oscuros ojos ardientes de mirada firme.

Se detuvo nada más traspasar el umbral, segura de sí misma, pero suplicante. Posando como uno de esos maniquíes arrogantemente incitadores. Echó la mano hacia atrás y cerró la puerta con llave, girándola con un débil chasquido.

Roy olvidó plantearse su edad.

Era lo suficientemente mayor, era Moira Langtry.

Era lo suficientemente joven.

Ella entendió su silencio aprobador, y con un golpe de cadera dejó que la estola de armiño le quedara colgando de un hombro. Entonces, con un delicado contoneo, atravesó lentamente la habitación, con la pequeña barbilla adelantada y el cuerpo ligeramente proyectado hacia delante gracias al generoso desequilibrio bajo su ajustada blusa blanca.

Se detuvo apoyando ambas rodillas sobre la cama, y al mirar hacia arriba, Roy solo vio su nariz por encima del contorno de sus pechos.

Levantando un dedo señaló sus prominencias.

—Te estás escondiendo —dijo—. Sal, sal de donde quiera que estés.

—Apestas —respondió ella en tono monótono; su blusa se agitaba con sus palabras—. Te odio.

—Las gemelas parecen muy inquietas —dijo él—. Tal vez debamos meterlas en la cama.

—¿Sabes lo que voy a hacer? Voy a ahogarte.

—¿Qué es este fuego abrasador que me mata? —dijo, y después tuvo que guardar silencio.

Tras una eternidad de dulce y suave aroma, se le permitió tomar aire. Y le habló a ella en un susurro.

—Hueles bien, Moira. Como una perra en celo.

—Cariño, ¡qué cosas tan bonitas dices!

—Tal vez no huelas bien.

—Pues claro que sí. Acabas de decirlo.

—Puede que sea tu ropa.

—¡Soy yo! ¿Quieres que te lo demuestre?

Él quiso y ella se lo demostró.

4

Cuando se estableció por primera vez en Los Ángeles, el interés de Roy Dillon por las mujeres se limitaba meramente a la necesidad. Tenía veintiún años, era un viejo de veintiuno. Su atracción por el sexo opuesto era tan fuerte como la de cualquier hombre, aunque se incrementaba quizá con los éxitos que iba dejando tras él. De todas formas, era un culo de mal asiento, como reza el dicho. Así que había buscado meticulosamente antes de elegir Los Ángeles como base permanente de sus operaciones. Por entonces su capital se reducía a menos de mil dólares.

Por supuesto, era un montón de dinero. A diferencia de los timadores a lo grande, cuya elaborada puesta en escena puede exigir más de cien mil dólares, el pequeño timador se las arregla con poco. Pero Roy Dillon, aunque se mantenía leal a este último tipo, estaba abandonando sus esquemas habituales.

A sus veintiún años estaba cansado de dar el golpe y huir. Sabía que para dar el golpe constantemente había que saltar de una ciudad a otra antes de que la cosa se recalentara, y eso podía comerse casi todos los beneficios, incluso siendo ahorrador. Él trabajaba todo lo que podía pero siempre intentando que las condiciones fuesen lo más seguras posible, y aun así no estaba exento de terminar con el lobo mordiéndole la culera de sus raídos pantalones.

Roy había visto ya demasiados casos.

En cierta ocasión, saliendo a toda prisa en tren de Denver, se había topado con un grupo de tipos. Los pobres diablos estaban tan mermados de capital que se habían visto obligados a aunar sus esfuerzos.

Se trabajaban un timo de cartas. El que repartía hacía el papel de «primo», a quien se suponía que los otros iban a engañar. Cuando volvió la cabeza para discutir con dos de los compinches sosteniendo tres cartas de forma que podían verse, el «gancho» dibujó una pequeña marca en la carta superior y guiñó un ojo a Roy con complicidad.

—¡Vamos, apuesta! —Su susurro fue ridículamente alto—. Pon ese billete grande que tienes.

—¿El de cincuenta o el de cien? —contestó Roy con otro susurro.

—¡El de cien! ¡Deprisa!

—¿Puedo apostar quinientos?

—Bueno, esto..., no. Mejor empiezas con cien.

La mano oportunamente estirada del que repartía comenzaba a cansarse. A los compinches se les terminaban las excusas para distraer su atención. Pero Roy persistía en su cruel broma.

—¿Es muy alta la carta marcada?

—¡Un as, mierda! ¡Las otras dos son doses! Venga...

—¿Un as gana a un dos?

—¡Que si un...! ¡Mierda, sí, claro! ¡Venga, apuesta!

El resto de los clientes de la cafetería del tren se percataron y comenzaron a sonreír burlonamente. Roy sacó su cartera muy despacio y extrajo un billete de cien. El que repartía contó una masa grasienta de billetes de uno y de cinco. A continuación barajó, cambió el as marcado por un dos marcado, y cambió también uno de los doses de la pareja por otro as sin marcar. Sin marcar a simple vista.

Llegó el momento decisivo. Las tres cartas se colocaron boca abajo sobre la mesa. Roy las estudió entrecerrando los ojos.

—No veo muy bien —se quejó—. Préstame tus gafas. —Y con destreza se apropió de las «lectoras» del que repartía.

A través de las gafas tintadas identificó el as de inmediato, y arrambló toda la pasta.

El grupo salió cabizbajo del compartimento entre las risas de los demás pasajeros. En el siguiente pueblo, un lugar amplio con una carretera fangosa, saltaron del tren. Seguramente ya no les quedaban fondos para seguir viajando.

Cuando el tren se puso en marcha, Roy los vio de pie en el andén desierto, con los hombros encorvados por el frío, el miedo desnudo en sus pálidos y escuálidos rostros. Y en la plácida comodidad de su compartimento tembló por ellos.

Se estremeció.

Ahí te conducía el «golpear y huir», ahí es donde podía conducirte. Ahí o a algo peor; era el destino de los desarraigados. Hombres para los cuales echar raíces era un riesgo más que una ventaja. Y los chicos del timo a gran escala no estaban más exentos de peligros que sus parientes de miras estrechas. De hecho, su destino a menudo era peor. Suicidio. Drogadicción y *delirium tremens*. Al hogar de los muertos o al de los locos.

Moira se incorporó y con un balanceo posó sus pies en el suelo para coger otro cigarrillo de la mesita. Cuando lo encendió, él se lo arrebató y ella encendió otro.

—Mírame, Roy —le dijo.

—Ya lo hago, cariño. Ya lo creo que lo estoy haciendo.

—¡Por favor! ¿Así que esto es todo lo lejos que podemos llegar? No me quejo, compréndelo, pero ¿no debería haber algo más?

—¿Cómo podríamos rematar algo así? ¿Haciéndonos cosquillas en los pies?

Lo miró en silencio, con sus expresivos ojos apagados, observándolo tras un velo invisible. Sin volver la cabeza extendió la mano y apagó el cigarrillo muy lentamente.

—Era una broma —dijo él—. Se supone que deberías reírte.

—Ya lo estoy haciendo, cariño. Ya lo creo que lo estoy haciendo —le respondió ella.

Se agachó para recoger una media y empezó a ponérsela. Un poco preocupado, él la sujetó por detrás y la giró hacia sí.

—¿Adónde quieres ir a parar, Moira? ¿Matrimonio?

—Yo no he dicho eso.

—Pero yo sí que te lo estoy preguntando.

Ella frunció el ceño, dubitativa. Después negó con la cabeza.

—No te estoy pidiendo eso. Soy una chica muy práctica, y no creo en dar más de lo que recibo. Pero quizá puede sonar un tanto extraño para un vendedor de cajas de cerillas o lo que quiera que seas.

Eso le dolió, pero siguió con el juego.

—¿Te importaría pasarme el botiquín? Creo que acaban de darme un arañazo.

—No te preocupes. A tu gatita ya se le han acabado las balas.

—La verdad es que las cerillas son una tapadera. A lo que me dedico en realidad es a dirigir un burdel.

Estás en la cima y las ganancias vienen solas. Pero una mala mano, y al barranco.

Y eso no iba a ocurrirle a Roy Dillon.

Durante su primer año en Los Ángeles se dedicó a ser un tipo normal. Un vendedor independiente que visitaba a pequeños comerciantes. Cuando volvió a deslizarse en el mundo del timo, continuó siendo vendedor, y aún lo seguía siendo. Disponía de crédito y de una cuenta bancaria. Literalmente, tenía cientos de conocidos que podrían dar fe de su excelente carácter.

Y en ocasiones tenían que hacerlo, momentos en los que las sospechas amenazaban con enredarse en algún asunto policial. Pero, naturalmente, nunca acudía a las mismas personas dos veces; en cualquier caso, tampoco sucedía muy a menudo. La seguridad le daba confianza en sí mismo. La seguridad y la confianza en sí mismo habían engendrado una depurada técnica.

Y lograr todo eso le había restado tiempo para las mujeres. Nada aparte de los habituales contactos pasajeros de cualquier joven. Hasta el tercer año no comenzó a buscar un tipo de mujer en particular. Alguien que no solamente fuera extremadamente deseable, sino que además deseara, e incluso prefiriera, aceptar la única clase de relación que él estaba dispuesto a ofrecer.

Encontró a Moira Langtry en una iglesia.

Se trataba de una de aquellas lunáticas sectas que a menudo florecen en la Costa Oeste. El payaso de turno era un yogui, o un *swami*, o algo por el estilo. Mientras su audiencia lo escuchaba como hipnotizada, él se extendía interminablemente sobre la Suprema Sabiduría Oriental sin ni siquiera explicar una sola vez por qué la más elevada incidencia de enfermedad, muerte y analfabetismo pervivía en la fuente de dicha sabiduría.

Roy se sorprendió de encontrar allí a alguien como Moira Langtry. No era el prototipo habitual. Pero, al mismo tiempo, observó la perplejidad en el rostro de ella cuando lo vio a él, aunque, bueno, él tenía sus razones para estar allí. Se trataba de un modo inocente de matar el tiempo. Más barato que el cine y mucho más divertido. Además, aunque le iba bien, no descartaba la posibilidad de mejorar. Y en reuniones así puedes descubrir muchas cosas.

La audiencia era sistemáticamente imbécil. En su mayoría, de imbecilidad acaudalada, viudas de mediana edad y solteronas, mujeres que sufren de una extraña picazón que podrían rascarse con un fajo. Así que... en fin, nunca se sabe, ¿no?

Se podían mantener los ojos abiertos sin meterse en un lío.

El payaso terminó su representación. Se pasaron canastillas para la «Ofrenda de Adoración». Moira tiró su programa en una de ellas y salió. Sonriendo, Dillon la siguió.

Se había entretenido en el vestíbulo tomándose excesivo trabajo en enfundarse los guantes. Mientras él se aproximaba, lo miraba con cautelosa aprobación.

—¿Y qué hacía una chica como tú en un sitio como este? —le abordó.

—Oh, ya sabes. —Se rio abiertamente—. Me he dejado caer para tomarme un yogur.

—Ajá. Menos mal que no te he ofrecido un Martini.

—En efecto. No admitiría menos de un escocés doble.

Ese fue el punto de partida.

Que los condujo más o menos rápidamente a su actual situación.

Últimamente, y ese día en particular, ya intuía que ella quería ir más lejos.

En su opinión solo existía un modo de manejar la situación. Con mucho tacto. Nadie podía reírse y estar serio a la vez.

Deslizó una mano por su cuerpo para dejarla reposar sobre su ombligo.

—¿Sabes una cosa? —le dijo—. Si te colocases una uva pasa aquí, parecerías una galleta.

—¡Para! —le dijo ella apartando su mano y dejándola caer sobre la cama.

—También podrías dibujar un círculo alrededor y simular que eres un dónut.

—Comienzo a sentirme como un dónut —le respondió—. Como la parte del centro.

—Estupendo. Temía que se tratara de algo vergonzoso.

A continuación, cortándolo con resolución, manteniéndolo a raya:

—Ya ves adónde quiero ir a parar. Apenas nos conocemos. No somos amigos, ni siquiera conocidos. Lo único que hemos hecho es acostarnos desde que nos conocimos.

—Has dicho que no te estabas quejando.

—Y así es. Para mí es necesario. Pero me parece que las cosas no deben comenzar y terminar solo con eso. Es como intentar vivir a base de bocadillos de mostaza.

—¿Y tú quieres paté?

—Un bistec. Algo nutritivo. Aah, mierda, Roy. —Movió la cabeza con impaciencia—. No lo sé. Tal vez no esté en el menú. Tal vez esté en el restaurante equivocado.

—¡Madame es demasiado *crguel*! ¡*Pieg* se *tigagá* en la olla del pescado!

—A Pierre no le importa si madame vive o se muere. Ya lo ha dejado muy claro.

Comenzó a levantarse con cierta resolución en sus movimientos. Él la sujetó y volvió a sentarla sobre la cama. Apretó su cuerpo contra el de ella. La soltó delicadamente. Le acarició el pelo y le besó los labios.

—Mmm, sí —dijo—. Sí, estoy seguro. La venta es definitiva, no se admiten cambios.

—Ya estamos de nuevo —respondió ella—. En el espacio exterior sin siquiera haber puesto pie en el suelo.

—Lo que quiero decir es que me costó mucho trabajo encontrarte. Una preciosa perdiz. Tal vez haya pájaros mejores en los arbustos, pero también puede que no, y...

—... y un pájaro en la cama es mejor que uno en un arbusto. O algo así. Temo que estoy aguándote el monólogo, Roy.

—¡Espera! —Intentó sujetarla—. Estoy intentando decirte algo. Me gustas, pero soy muy vago. No quiero seguir buscando. Así que muéstrame la etiqueta, y si puedo, compraré.

—Eso está mejor. Se me ocurre una idea que podría ser bastante beneficiosa para ambos.

—¿Por dónde comenzamos? ¿Unas cuantas noches en la ciudad? ¿Una juerga en Las Vegas?

—Mmm, no. Creo que no. Además, no podrías permitírtelo.

—Sorpresa —dijo en tono cortante—. Ni siquiera te haría pagar tu propio trayecto.

—Mira, Roy... —Lo despeinó con afecto—. No es precisamente lo que tengo en mente. Demasiadas chicas, resplandor y cristalería fina. Si vamos a ir a algún sitio, será al otro lado de la calle. Ya sabes, calma y tranquilidad, así podremos charlar, para variar.

—Bueno. La Jolla está muy bien en esta época del año.

—La Jolla está bien en cualquier época del año. Pero ¿estás seguro de que puedes permitirte...?

—Continúa —le advirtió—. Si sigues con esa cantinela tendrás el trasero más rojo de La Jolla. La gente creerá que se trata de otra puesta de sol.

—¡Bah! ¿Quién te tiene miedo?

—Y lárgate ahora mismo, ¿vale? ¡Regresa a tu alcantarilla! Me has desangrado y has hecho que derrochara mis ahorros, y ahora pretendes matarme con tu rollo.

Ella se rio afectivamente y se puso en pie. Tras vestirse, volvió a arrodillarse junto a la cama para darle un beso de despedida.

—¿Estás seguro de que te encuentras bien, Roy? —Le apartó el pelo de la frente—. Estás muy pálido.

—¡Oh, Dios! —se quejó él—. ¿Es que esta mujer no va a marcharse nunca? ¡Me pega un buen meneo y después dice que estoy pálido!

Ella se marchó sonriendo con aire de suficiencia. Complacida consigo misma.

Roy se incorporó con dificultad, sus piernas renqueaban de camino al baño. Se dejó caer sobre la cama por primera vez un poco preocupado por sí mismo. ¿Cuál podría ser la causa de aquel extraño y abrumador cansancio? Moira no, seguro; estaba acostumbrado a ella. Tampoco el hecho de haber comido muy poco durante los últimos tres días. Solía tener temporadas en las que perdía el apetito, y esta había sido una de ellas. Comiera lo que comiese, lo devolvía transformado en un líquido de color marrón. Era extraño, ya que no había probado otra cosa que helados y leche.

Frunciendo el ceño, procedió a examinarse. Una débil mancha amarillenta se dibujaba en su estómago. Pero no le dolía, a menos que apretase fuerte. No había sentido dolor desde el día del golpe.

¿Entonces...? Se encogió de hombros y se tumbó. Tan solo era una de esas tonterías, creía. No se sentía enfermo. Si un hombre estaba enfermo, se sentía enfermo.

Colocó las almohadas una encima de otra y se apoyó adoptando una posición inclinada. Mucho mejor, pero aún cansado. Estaba inquieto. Con cierto esfuerzo, cogió sus pantalones de una silla próxima y sacó una moneda del bolsillo del reloj.

A simple vista parecía una moneda cualquiera, pero no lo era. El lado correspondiente a la cruz estaba pulido, la cara no. Sosteniéndola entre los dedos índice y corazón por el canto pudo identificar ambos lados.

La lanzó al aire, la recogió y la depositó sobre la otra mano con una palmada. Se trataba de una de las versiones. Uno de los tres trucos típicos del timo corto.

—Cruz —murmuró, y salió cruz.

Volvió a lanzar la moneda y pidió cara. Y salió cara.

Comenzó a cerrar los ojos en cada petición, asegurándose de que no hacía trampas inconscientemente. La moneda subió y bajó; su mano palmeó fraudulentamente el dorso de su mano.

Cara... cruz... cara, cara...

Y se terminó el palmeo.

Sus ojos se cerraron y permanecieron cerrados.

Era poco más de mediodía cuando volvió a abrirlos. La penumbra ensombrecía la habitación y el teléfono sonaba. Miró a su alrededor violentamente, sin reconocer dónde estaba, sin saber dónde estaba. Perdido en un mundo extraño y aterrador. Después, debatiéndose por recuperar la conciencia, tomó el auricular.

—Sí —respondió. Y a continuación—: ¿Qué, qué? Repítalo. —El empleado le estaba diciendo algo que no tenía sentido.

—Una visita, señor Dillon. Una joven dama muy atractiva. Dice... —una risa diplomática— dice que es su madre.

5

Cuando aún no había cumplido los dieciocho años, Roy Dillon se marchó de casa. No se llevó nada con él salvo la ropa que llevaba puesta, ropa que él mismo se había comprado y pagado. No se llevó más dinero que el que tenía en los bolsillos, y también se lo había ganado él.

No quería nada de Lilly. Ella no le había dado nada cuando lo necesitaba, cuando era demasiado pequeño para conseguirlo por sí mismo, y a esas alturas no le iba a permitir entrar en el juego.

Durante los primeros seis meses fuera de casa no mantuvo contacto alguno con ella. Después, en Navidades, le envió una postal, y otra el Día de la Madre. Ambas eran de tipo cursi y sensiblero, rezumaban una ternura nauseabunda. Pero la última era una verdadera exageración. Corazones, flores y angelitos rollizos pululando por encima de un absurdo montaje irrisorio. El mensaje impreso iba dedicado a su «querida y vieja mamá», y chorreaba lacrimógenos besos de buenas noches, fuentes y bandejas de galletas recién hechas y leche que encontraba un niño cuando llegaba a casa después de jugar.

Era como para pensar que la «querida y vieja mamá» (Dios bendiga sus plateados cabellos) era propietaria de una especie de lechería-panadería que no servía a más clientes que a su querido chiquitín (montado en su flamante bicicleta).

Se rio tanto cuando se la envió que estuvo a punto de emborronar la dirección. Pero después volvió a reflexionar sobre el tema.

Tal vez aquella broma se volvería contra él. Tal vez al burlarse de ella revelaba una herida profunda y permanente que demostraba que ella era más dura que él. Y eso, naturalmente, no era así. Había aceptado todo lo que a ella le sobraba y no le había hecho mella. ¡Por todos los demonios!, nunca debía permitir que ella creyera lo contrario.

Así que, después de aquello, se puso en contacto con ella por Navidades, en su cumpleaños y cosas así. Pero se mostró muy correcto. Sencillamente no pensaba lo suficiente en ella, se dijo a sí mismo, como para burlarse. Se requería a una mujer mucho mejor que Lilly Dillon para que calase en él.

La única forma en la que mostraba sus verdaderos sentimientos era a través de los regalos que intercambiaban. Aunque evidentemente Lilly podía permitirse regalos mucho más caros, él se negaba a reconocerlo. Al menos no lo hizo hasta que el esfuerzo por mantenerse a la par, o incluso sobrepasarla, no solamente amenazaba sus objetivos a largo plazo, sino que además se revelaba como lo que era en realidad: una nueva manifestación de sus heridas. Ella lo había herido, o eso parecía, y de un modo infantil él rechazaba todo esfuerzo de expiación.

Ella podía pensar eso y no iba a permitírselo. Así que le había escrito como de pasada que los regalos estaban hipercomercializados, y que, en adelante, mejor que se dedicaran a intercambiarse recuerdos. Si le apetecía hacer un donativo de caridad en su nombre, perfecto. La Ciudad de los Muchachos le parecía apropiada. Y él, por supuesto, también haría un donativo en su nombre.

Por ejemplo, a alguna institución para mujeres rebeldes...

Pero, en fin, esto es adelantarse a la historia, saltarse sus principales ingredientes.

Nueva York está a dos horas de Baltimore. Cuando todavía no había cumplido los dieciocho años, Roy se fue a la gran ciudad, objetivo lógico para un joven cuyas únicas posesiones eran una buena apariencia y un innato y vivo deseo de ganar dinero rápido.

Y por la necesidad de ganar dinero, aceptó de inmediato un empleo de vendedor a comisión. Se trataba de ir de puerta en puerta vendiendo revistas, carretes de fotografías, utensilios de cocina, aspiradoras..., cualquier cosa que pareciera prometedora. Pero todas ellas prometían mucho y daban poco.

Puede que Miles de Michigan hubiese ganado mil trescientos dólares en su primer mes enseñando supertelas a sus amigos, y puede que O'Hara de Oklahoma ganara noventa dólares diarios por sus pedidos de tacatacas marca Oopsy Doodle. Pero Roy lo dudaba mucho. A cambio de quedar hecho polvo, lo máximo que había ingresado eran ciento veinticinco dólares en una semana. Pero eso fue su mejor semana. La media oscilaba entre setenta y cinco y ochenta dólares, y se dejaba la piel para conseguirlo.

De todos modos, era mucho mejor que trabajar de mensajero o aceptar algún empleo de oficina que prometía «buenas oportunidades» y «posibilidades de ascender» en lugar de un sueldo interesante. Las promesas eran baratas. ¿Qué pasaba si él iba a uno de esos sitios y prometía que algún día sería presidente? ¿Qué tal un anticipo?

Lo de las ventas era un rollo, pero no conocía otra cosa. Se sentía molesto consigo mismo. Allí estaba él, a punto de cumplir los veinte, y ya era un fracasado manifiesto. ¿Qué era lo que iba mal? ¿Qué tenía Lilly que él no tuviera?

Sin embargo, tropezó con algo al llegar a los veinte.

Fue pura casualidad. El imbécil propietario de un estanco se lo puso a huevo. Roy continuó rebuscando ensimismado una moneda tras haber recibido el cambio del billete, y el inquieto tendero, que tenía prisa por despachar a otros clientes, perdió la paciencia de repente.

—¡Por el amor de Dios, señor! —se quejó—. ¡Solo es un centavo! Ya me lo pagará la próxima vez.

Y le arrojó el billete de veinte. Roy estaba a una manzana de distancia cuando se dio cuenta de lo que acababa de ocurrir.

Apenas asimilado el suceso, le siguió otro: un joven ambicioso no espera a que tales accidentes felices lluevan del cielo. Los crea. Sin dilación, comenzó.

Lo echaron fríamente de dos establecimientos. En otros tres le insinuaron, con más o menos educación, que no tenía derecho a la devolución del billete. En los tres restantes tuvo éxito.

Se sentía eufórico por su buena suerte. (Y había sido excepcionalmente afortunado.) Se preguntaba si existirían trucos similares al de los «veinte», métodos de ganar tanto dinero en pocas horas como un tonto ganaba en toda una semana.

Existían. Empezó a introducirse en ellos aquella misma noche en un bar adonde había ido a festejar su éxito.

Otro cliente se sentó a su lado dándole un codazo. Derramó parte de su copa, se disculpó e insistió en pagarle otra. Después todavía pagó una ronda más. Llegado a tal punto, Roy quiso a su vez invitarlo a una ronda. Pero el hombre había distraído su atención, buscó en el suelo, se agachó y recogió un dado, que posó sobre la barra.

—¿Se te ha caído esto, amigo? ¿No? Bueno, mira, no me gusta beber tan rápido, pero si quieres que nos juguemos una ronda para quedar en paz...

Lanzaron. Roy ganó. Pero, por supuesto, no era suficiente. Lanzaron de nuevo, apostándose cuatro copas. En esta ocasión ganó el otro tipo. Y, por supuesto, tampoco era suficiente. No iba a permitirlo. Mierda, tan solo estaban intercambiando copas amistosamente, y seguro que no iba a salir de allí ganando.

—Ahora lanzaremos por ocho copas. Bueno..., pongamos por cinco pavos.

El «tat», con sus rápidas apuestas que se doblan, es la muerte para un primo. Ahí reside su perverso encanto. A menos que apuestes muy fuerte, el que saca ventaja te despluma en un número relativamente bajo de tiradas.

Las ganancias de Roy se fueron por el desagüe en veinte minutos.

En otros diez, su dinero honesto las siguió. El otro tipo dijo que lo sentía mucho, que Roy debía aceptar un par de pavos por la pérdida y que...

Pero el sabor del timo era muy intenso en el paladar de Roy, su sabor y su olor. Repuso con firmeza que aceptaría la mitad del dinero. El timador, llamado Mintz, podía quedarse con la otra mitad a cambio de sus servicios como instructor en la estafa.

—Puedes comenzar las lecciones ahora mismo —le dijo—. Comienza con ese truco que acabas de hacerme.

Siguieron protestas airadas por parte de Mintz y cierto lenguaje tosco por parte de Roy. Pero al final se trasladaron a uno de los reservados, y aquella noche y algunas más desempeñaron los papeles de profesor y alumno. Mintz no se calló nada. Por el contrario, charlaba hasta la extenuación. Tenía la santa oportunidad de exhibir su presunción. Podía demostrar lo listo que era, cosa que su modo de vida generalmente aconsejaba no hacer, y podía hacerlo con absoluta seguridad.

A Mintz no le gustaba el de los «veinte». Requería algo indefinible que él no poseía. Y nunca lo hacía sin un socio, alguien que distrajera al primo durante la actuación. En cuanto a lo del socio, tampoco le gustaba; reducía la tajada a la mitad. Y era como una espada de Damocles, porque parecía que todos los timadores sentían la irresistible tentación de vencer a sus colegas. Poca gloria había en desplumar a un imbécil; ¡joder!, los imbéciles estaban hechos para ser desplumados. Pero desplumar a un profesional, aunque te saliera caro a largo plazo, ah, aquello era algo totalmente irresistible.

A Mintz le gustaba el «smack». Era natural, claro. Todo el mundo se lleva bien con las monedas.

Y le gustaba especialmente el «tat», cuyas múltiples virtudes eran tantas que no podían enumerarse. Y si conseguías echarle el anzuelo a un grupo de tíos, habías hecho la semana.

El «tat» debía jugarse en una superficie muy limitada, sobre la barra o en una mesa. De este modo no llegabas a hacer rodar el dado, aunque, claro, daba la impresión de que lo hacías. Agitabas la mano con fuerza manteniendo el dado en una posición elevada, sin agitarlo en absoluto, y después lo lanzabas permitiendo que se deslizara y tambaleara, pero sin llegar a volcarse. Si los primos comenzaban a sospechar, utilizabas una taza o un vaso para lanzar, ya que estabas en un bar. Pero en este caso tampoco agitabas el dado. Lo sujetabas como antes, haciendo que traqueteara con fuerza contra el cristal, y a continuación volvías a lanzarlo como antes.

Se requería práctica, claro. Todo la requería.

Si la cosa se calentaba, el camarero te sacaba del apuro a cambio de una buena propina. Decía que te llamaban por teléfono, que venía la pasma o algo similar. Los camareros estaban siempre hartos de los borrachuzos. No les importaba que hicieran el primo si eso les reportaba un pavo, a menos que los tíos fueran sus amigos.

Mintz conocía muchos más trucos que los tres típicos. Algunos de ellos prometían beneficios que sobrepasaban los mil dólares de tope del timo corto. Pero indudablemente requerían a más de un hombre, aparte de un tiempo considerable y preparación; en resumen, estaban en la frontera del timo a gran escala. Y tenían una seria desventaja: si el imbécil daba el soplo, te cazaban. No se trataba de haber cometido un error. Ni de mala suerte. Sencillamente, ocurría.

Había dos detalles esenciales en el timo que Mintz no explicó a su alumno. Uno de ellos resultaba imposible de explicar; se trataba de un hábito adquirido, algo que cada uno tenía que practicar por sí mismo y a su propio modo: mantener un alto nivel de anonimato mientras permanecías en circulación. Naturalmente, no podías disfrazarte. Se trataba más bien de no hacer nada. Evitar cualquier amaneramiento, cualquier expresión, cualquier acento o muletilla, cualquier gesto, postura o modo de andar; todo aquello que pudiera ser recordado.

Y ya tenemos el primero de los detalles esenciales que no pueden explicarse.

Seguramente Mintz no le explicó el segundo porque no le pareció necesario. Se trataba de algo que Roy debía de saber ya.

Las lecciones concluyeron.

Roy se puso a trabajar duro en el timo. Adquirió un vestuario elegante. Se mudó a un buen hotel. Incluso se permitió caprichos un tanto extravagantes, y aun así amasó un fajo de más de cuatro mil dólares.

Transcurrieron los meses. Un día, mientras comía en un restaurante de Astoria, entró un detective que lo buscaba.

Habló con el propietario y le describió a Roy. No tenía fotografías suyas, pero sí un retrato robot, y este era de un parecido asombroso.

Roy observó cómo miraban en su dirección mientras hablaban y pensó en huir a la desesperada. En largarse por la cocina y salir por la puerta trasera. Quizá lo único que evitó que lo hiciera fue la debilidad de sus piernas.

Entonces se miró en el espejo que había a su espalda y suspiró aliviado.

Después de salir del hotel, la temperatura había subido sustancialmente, así que había guardado el sombrero, el abrigo y la corbata en una consigna del metro. Y a continuación, tan solo una hora después, se había cortado el pelo al estilo militar.

Su imagen había cambiado de forma considerable; al menos, lo suficiente como para no ser reconocido. Pero temblaba de pies a cabeza. Se escabulló hasta la habitación del hotel preguntándose si volvería a tener agallas para trabajar de nuevo. Permaneció en el hotel hasta que oscureció y después se fue a buscar a Mintz.

Mintz se había ido del hotelucho en que vivía. Se había marchado hacía meses sin dejar dirección alguna. Roy se lanzó en su busca. Por pura suerte lo encontró en un bar a seis manzanas.

El timador se quedó horrorizado cuando Roy le contó lo sucedido.

—¿Quieres decir que has estado trabajando aquí todo este tiempo? ¿Has trabajado en un sitio fijo? ¡Dios mío! ¿Sabes dónde he estado los últimos seis meses? ¡En una docena de lugares! ¡Fui hasta la costa y volví!

—Pero ¿por qué? Bueno, Nueva York es una ciudad muy grande y...

Mintz lo cortó con impaciencia. Nueva York no era una ciudad muy grande, le contestó. Lo único es que había mucha gente viviendo apretujada en un área bastante reducida. Y no, tu suerte no mejoraba saliendo del congestionado Manhattan para meterte en otro barrio. No solo no dejabas de toparte con la misma gente, gente que trabajaba en Manhattan y vivía en Astoria, Jackson Heights, etcétera, sino que además resultabas más sospechoso. Era más fácil que los primos te descubrieran.

—Y chico, hasta un ciego podría descubrirte. ¡Mira ese corte de pelo! ¡Mira ese reloj de lujo y los tres tonos chillones de tus zapatos! ¡¿Por qué no te pones también un parche en el ojo y los piños de oro?!

Roy enrojeció. Le preguntó, preocupado, si ocurría lo mismo en todas las ciudades. ¿Tenías que andar saltando de ciudad en ciudad, gastando tu capital para mudarte cuando comenzabas a conocer lo que te rodeaba?

—¿Qué quieres? —Mintz se encogió de hombros—. ¿Un huevo en la cerveza? Por ejemplo, en la zona de Los Ángeles te puedes quedar una temporada, porque no es solo una ciudad, sino todo un condado lleno de ciudades, docenas de ellas. Y con un tráfico tan malo y ese asqueroso sistema de transportes, la gente no se mezcla como lo hace en Nueva York. Pero... —le apuntó con un dedo en un gesto de advertencia— pero eso no significa que puedas andar por ahí como un loco. Eres un timador, ¿sabes? Un ladrón. No tienes ni hogar, ni amigos, ni modo de subsistencia a la vista. Y será mejor que te metas eso en la cabezota de una vez por todas.

—Lo haré —prometió Roy—. Pero, Mintz...

—¿Sí?

Roy sonrió y movió la cabeza, guardándose para sí mismo sus pensamientos: «Supón que tuviese un hogar, una residencia fija. Supón que tuviera cientos de amigos y conocidos. Supón que tuviera un empleo y...».

Llamaron a la puerta y él dijo:

—Entra, Lilly.

Y su madre entró.

6

Ella no parecía haber envejecido ni un año desde que la había visto por última vez. Roy tenía ya veinticinco años, lo que significaba que ella rondaba los treinta y nueve. Pero aparentaba treinta y pocos, treinta y uno, o treinta y dos. Se parecía a... a... ¡pues claro!, ¡a Moira Langtry! Esa era la persona a quien le recordaba. No es que se pareciesen exactamente; ambas eran morenas y de la misma talla, pero de cara no se parecían en nada. Se trataba de una similitud de tipo más que personal. Pertenecían al mismo rebaño: mujeres que sabían a la perfección qué tenían que hacer para conservar y realzar su atractivo natural. Mujeres que o lo poseían o no escatimaban esfuerzos para conseguirlo.

Lilly tomó una silla con timidez, insegura de ser bien recibida, y rápidamente explicó que se encontraba en Los Ángeles por negocios.

—Controlo apuestas desde fuera, Roy. Regreso a Baltimore en cuanto terminen las carreras.

Roy asintió lentamente. La explicación era razonable. Controlar apuestas desde fuera era práctica común en las apuestas profesionales a gran escala y consistía en rebajar los puntos de ventaja de un caballo metiendo dinero al resto de los caballos.

—Me alegro de verte, Lilly. Lo hubiera sentido si no te hubieras dejado caer por aquí.

—Yo también me alegro de verte, Roy. Yo... —Echó un vistazo a su alrededor y se inclinó hacia delante para fisgar en el baño.

Lentamente su timidez se tornó en una mueca de perplejidad—. Roy —le dijo—, ¿qué significa esto? ¿Por qué vives en un sitio como este?

—¿Qué tiene de malo?

—¡No me tomes el pelo! No es tu estilo, eso es lo que tiene de malo. ¡Échale un vistazo! ¡Mira esos rancios cuadros de payasos! ¿Es una muestra del gusto de mi hijo? ¿A Roy Dillon le va lo rancio?

De no haberse sentido tan débil, Roy se habría reído. Los cuatro cuadros eran su propia contribución a la decoración. Oculta en sus marcos se encontraba la pasta de los timos: cincuenta y dos mil dólares en metálico.

Le respondió que había alquilado la habitación tal como estaba, lo mejor que podía permitirse. Después de todo, solo era un vendedor a comisión y...

—Y aparte eso —apuntó Lilly—. ¿Cuatro años en una ciudad como Los Ángeles y todo lo que tienes es un empleo de vendedor de pacotilla? ¿Esperas que me lo trague? Es una tapadera, ¿no? Esta pocilga es una tapadera. Estás tramando algo y no me lo niegues porque me he dedicado a esto toda la vida.

—Lilly... —Su débil voz parecía surgir desde kilómetros de distancia—. Métete en tus malditos asuntos.

Ella no dijo nada por un instante, recuperándose del rapapolvo, recordándose a sí misma que él era más un extraño que un hijo. Después, en un tono ligeramente suplicante, le dijo:

—No tienes por qué hacerlo, Roy. Demasiada carne en el asador, más de la que yo he puesto jamás, y... ya sabes cuál suele ser el final, Roy. Yo...

Los ojos de Roy permanecían cerrados, como diciendo que o se callaba o se largaba. Forzando una sonrisa, ella dijo que de acuerdo, que no iba a regañarlo desde el primer momento en que se veían.

—¿Por qué estás todavía en la cama, hijo? ¿Estás enfermo?

—No es nada —murmuró él—. Solo...

Se acercó a la cama. Tímidamente le puso una mano en la frente y lanzó una exclamación de sorpresa.

—¡Roy, estás frío como el hielo! Pero... —La luz se hizo sobre sus almohadas cuando ella encendió la lamparilla. Escuchó una nueva exclamación—. Roy, ¿qué ocurre? ¡Estás blanco como una sábana!

—Nada... —Apenas podía mover los labios—. No sudo, Lilly.

De repente se sintió infinitamente asustado. Sabía, sin saber por qué, que se estaba muriendo. Y junto al terrible miedo a la muerte, sentía una incontenible tristeza; incontenible porque a nadie le importaba, nadie la compartía. Nadie, nadie en absoluto, para aliviársela.

«¿Solo una muerte, Roy? Bueno, ¿por qué refunfuñas? Pero no pueden comerte, ¿no? Pueden matarte, pero no pueden comerte».

—¡No! —exclamó con un sollozo, su voz abriéndose paso entre una abrumadora somnolencia—. ¡No te rías de mí...!

—¡No lo hago! ¡No me río de ti, cariño! Yo... ¡Escúchame, Roy! —Apretó su mano casi con violencia—. No parece que estés enfermo, no tienes fiebre ni... ¿Dónde te duele? ¿Te ha herido alguien?

No le dolía. No había sentido dolor desde el día del golpe...

—Me dieron... —murmuró—. Hace tres días.

—¿Tres días? ¿Cómo? ¿Dónde te dieron? Pero... ¡Espera un minuto, querido! Tú espera hasta que tu madre llame por teléfono, y después...

En lo que fue un tiempo récord para el Grosvenor-Carlton consiguió línea exterior. Al hablar por teléfono su voz chasqueaba como un látigo.

—... Lilly Dillon, doctor. Trabajo para la compañía de entretenimientos Justus de Baltimore, y... ¿Qué? ¡No me vengas con pamplinas, tío! ¡No me digas que nunca has oído hablar de mí!

¡Si me obligas a llamar a Bobo Justus...! Muy bien, entonces, ¡veamos lo que tardas en llegar aquí!

Colgó el teléfono bruscamente y volvió junto a Roy.

El médico llegó sin aliento y con aspecto taciturno. Después, olvidándose de su vanidad herida, se comió a Lilly con los ojos.

—Siento mucho haber sido tan brusco, señora Dillon. Bueno, ¡no me diga que ese robusto joven es su hijo!

—Eso no importa. —Lilly cortó sus piropos—. Haga algo por él, creo que está bastante mal.

—Muy bien, veamos.

Pasó por delante de ella para dirigirse a la cama donde yacía la pálida figura de Roy. De repente, su afable actitud se desvaneció y su mano actuó con diligencia para comprobar el corazón de Roy, su pulso y la presión sanguínea.

—¿Cuánto tiempo lleva así, señora Dillon? —Hablaba en tono seco, sin volverse hacia ella.

—No lo sé. Cuando llegué, hace una hora, ya estaba en la cama. Parecía encontrarse bien mientras hablábamos, lo único es que era como si se debilitara y...

—¡Seguro que sí! ¿Historial de úlceras?

—No. Bueno, no lo sé. No lo he visto en siete años y... ¿Qué le ocurre, doctor?

—¿Sabe si ha sufrido algún tipo de accidente durante los últimos días? ¿Algo que pudiera haberle causado una herida interna?

—No... —Volvió a corregirse—: Bueno, sí, sí. Intentaba contármelo. Hace tres días le golpearon en el estómago, algún borracho, supongo.

—¿Algún vómito después? ¿Color café? —El médico echó la sábana hacia atrás asintiendo con gesto grave ante la mancha—. ¿Y bien?

—No lo sé...

—¿Cuál es su grupo sanguíneo? Lo sabe, ¿no?

—No, yo...

Volvió a cubrirlo con la sábana y se dirigió al teléfono. Mientras pedía una ambulancia, batiendo el récord del hotel por segunda vez ese día, contemplaba a Lilly con una especie de preocupado reproche. Colgó el teléfono.

—Ojalá hubiera sabido su grupo sanguíneo —dijo—. Si hubiera podido hacerle una transfusión ahora mismo en vez de esperar a que averigüen su grupo...

—Está... Se pondrá bien, ¿no?

—Haremos todo lo posible. El oxígeno lo ayudará un poco.

—Pero ¿se pondrá bien?

—Su presión sanguínea se encuentra por debajo de cien, señora Dillon. Ha sufrido una hemorragia interna.

—¡Basta! —Le apetecía gritarle—. ¡Le he hecho una pregunta! ¡Le he preguntado si...!

—Lo siento —replicó él en tono pausado—. La respuesta es no. No creo que sobreviva si no lo llevamos al hospital.

Lilly sintió un mareo. Trató de sobreponerse poniéndose más derecha y haciendo que su voz sonara firme. Le habló al médico en tono tranquilo.

—Mi hijo se pondrá bien —dijo—, de lo contrario, haré que le maten.

7

Carol Roberg llegó al hospital a las cinco de la tarde, una hora antes de que empezara su turno. El mero pensamiento de llegar tarde la aterrorizaba. Pero, además, llegando tan temprano podía comer muy barato en la cafetería de los empleados antes de empezar a trabajar. Eso era importante para ella, una buena comida a bajo precio. Incluso cuando no tenía hambre, lo cual ocurría rara vez, aun en Estados Unidos, donde nadie parecía jamás tener hambre, siempre estaba preocupada pensando en cuándo volvería a comer.

Su uniforme de enfermera estaba tan almidonado que emitía un leve crujido cuando descendía a toda prisa por el pasillo de mármol. De corte muy largo, al estilo europeo, la hacía parecer una niña vestida con la ropa de su madre; y la falda y los puños se acampanaban en los bordes, pareciendo establecer la pauta de sus ojos, su boca, sus cejas y las puntas de su pelo corto. Todas sus facciones poseían un aspecto gracioso y respingón, como inexpugnable ante cualquier atisbo de solemnidad interior. En efecto, cuanto más seria se ponía, cuanto más grave era su determinación, mayor era el efecto de risa contenida: una niña jugando a ser mujer.

Entró en la cafetería y fue directamente hacia el largo mostrador ruborizándose, cohibida, evitando mirar a cualquiera que pudiera estar mirándola. En varias ocasiones, allí y en otros sitios, se había visto obligada a compartir la mesa. La experiencia había resultado terriblemente embarazosa. Los hombres, internos y técnicos, gastaban bromas que quedaban más allá de su limitado conocimiento del idioma, de modo que nunca sabía muy bien cuál debía ser su actitud. En cuanto al resto de las enfermeras, eran muy agradables. Intentaban ser amables. Pero entre ellas existía un gran abismo que solo el tiempo podría cubrir. Ella no hablaba, ni pensaba, ni actuaba como ellas, y ellas parecían tomar sus modales como crítica a los suyos.

Carol cogió una bandeja y cubiertos del mostrador y estudió la humeante extensión de comida. Cuidadosamente, sopesando cada plato, eligió.

Las patatas con salsa costaban ocho centavos, así que dos pedidos serían quince, ¿no? Un centavo menos.

—¿Dos pedidos? —repetía la gorda del mostrador riéndose—. Ah, quieres decir ración doble.

—Ración doble, sí. ¿Son quince?

La mujer dudó y miró a su alrededor con aire conspirador.

—Te diré qué vamos a hacer, cielo. Te cobraré lo mismo que por una ración, ¿mmm? Me pasaré un poquitín con el cucharón.

—¿Puede hacer eso? —Los rasgados ojos de Carol se redondearon con temor reverencial—. ¿No le causará problemas?

—¿A mí? ¡Ja! El garito es mío, cielo.

Carol supuso que entonces no había problemas. Eso no sería robar. Con la conciencia más tranquila también aceptó un par de salchichas extra en su plato de puré de patatas, salchichas y chucrut.

Dudó ante la sección de postres. Estaba a punto de decidirse por un trozo de tarta con el dinero que le quedaba cuando escuchó voces al otro lado del mostrador: la mujer gorda hablaba con otra dependienta.

—La chica judía es capaz de zampar un montón, ¿eh?

—Como le sale de gorra... Así salen adelante estos agarrados.

Por un instante Carol se quedó helada. A continuación, muy rígida, se movió, pagó y transportó la bandeja hasta una mesa en una esquina alejada. Comenzó a comer metódicamente, haciendo un esfuerzo por tragar la comida, que de pronto le resultaba insípida, hasta que de nuevo volvió a ser apetitosa y deseable.

Uno tenía que hacer así las cosas, lo mejor que podía, y aceptarlas tal como venían. En general no parecían tan malas después de un rato; si de verdad no eran buenas, llegaban a serlo en comparación con las muchas que aún eran peores. Casi todo era relativamente bueno. Comer resultaba mejor que pasar hambre; vivir, mejor que morir.

Hasta la amabilidad simulada era mejor que nada en absoluto. La gente debía preocuparse al menos un poco por disimular. Sus propios parientes y amigos, emigrantes como ella, no siempre lo habían hecho.

Había llegado a Estados Unidos bajo los auspicios de unos parientes, una tía y un tío que habían escapado de Austria antes de la *Anschluss*. Ahora eran gente acaudalada que la habían acogido en su casa y le habían concedido el estatus de hija a prueba. Aunque con ciertas y rígidas condiciones: que se convirtiera en una de ellos, que viviera como ellos vivían sin importar cómo había vivido anteriormente. Y Carol no podía hacer eso.

El ritual de la cena, los numerosísimos juegos de platos, cada uno para un tipo distinto de comida, resultaba casi ofensivo para ella. Demasiado despilfarro en un mundo lleno de necesidades. Por el contrario, le parecía absurdo ayunar en medio de la abundancia.

Sentía repugnancia por el barbudo *shiddem* de boca rosácea y todo su conocimiento judaico. A ella le parecía un parásito al que deberían obligar a trabajar como el resto de los mortales. Le sorprendía su estupidez enmascarada de orgullo; o lo que ella consideraba estupidez: la impenetrabilidad ante una nueva lengua y un nuevo y seguramente mejor modo de vida. Así que se sentía asustada ante su evidente discrepancia, intuyendo en ella las semillas de la tragedia.

Como eran buenos con ella, o trataban de serlo, intentaba

comportarse como ellos. Incluso deseaba creer que estaban en lo cierto y ella equivocada. Pero el intento y el deseo no eran bastante para ellos. La acusaban de abandonar su fe, fe que no recordaba haber conocido. A su modo, su tiranía parecía tan mala como la que había dejado. Finalmente se alejó de ellos.

La vida fuera de aquel refugio no era fácil. La alternativa parecía ser un mundo con tantos prejuicios como el que había abandonado. Pero no siempre era igual. Había gente a la que le daba absolutamente igual lo que ella había sido, es decir, les daba absolutamente igual en sentido positivo. Ellos, la inmensa minoría, y la señora Dillon era su mejor ejemplo, la aceptaban por lo que actualmente era. Y...

Vio a la señora Dillon aproximarse avanzando entre las mesas con su natural arrogancia. A toda prisa, Carol dejó su taza de té en la mesa y se levantó.

—Por favor, siéntese, señora Dillon. ¿Le pido un té? ¿Un café? ¿Algo de comer?

—Nada. —Lilly sonrió indicándole con la mano que volviera a sentarse—. Esta tarde no voy a quedarme en el hospital. Quería hablar contigo antes de irme.

—¿Algo va mal? ¿He... he hecho...?

—No, lo estás haciendo bien. Todo va bien —la tranquilizó Lilly—. Pídete otro té si te apetece. No hay prisa.

—Mejor no. —Carol negó con la cabeza—. Son casi las seis y la otra enfermera...

—También pago a la otra enfermera —dijo Lilly en tono resuelto—. Trabaja para mí, no para el hospital. Si no le apetece trabajar algo más por dinero extra, ya puede largarse.

Carol asintió y murmuró sumisa. No había visto antes aquel aspecto de la señora Dillon. La sonrisa de Lilly retornó.

—Y ahora relájate y tómatelo con calma, Carol. Me gusta cómo trabajas. Me gustas y espero que yo también te guste a ti, mi hijo y yo.

—¡Oh, pues claro que me gustan! ¡Han sido muy buenos conmigo!

—¿Cómo es que no tienes un trabajo fijo? ¿Por qué solo trabajas por horas?

—Bueno... —Carol pensó un poco la respuesta—. El hospital, casi todos los hospitales, titulan a sus propias enfermeras, y yo no tengo ese título. Después, los trabajos fijos en consultas requieren una experiencia que yo no tengo, piden contabilidad y taquigrafía y...

—Ya veo. ¿Cómo te va en este tipo de trabajo? ¿Bien?

—Bueno, no siempre gano tanto —afirmó Carol con solemnidad—. Depende de la cantidad de trabajo que consiga; no siempre es mucho. Y, por supuesto, también están las tarifas del colegio de enfermeras. Pero..., en fin, de todos modos es bastante. Cuando sepa más inglés y lo comprenda mejor...

—Ya, claro. ¿Cuántos años tienes, Carol?

—Veintisiete.

—Oh. —Lilly estaba sorprendida—. No pensaba que fueras tan mayor.

—A veces me siento mucho mayor. Como si hubiera vivido siempre. Pero sí, tengo veintisiete.

—Bueno, no importa. ¿Tienes novio? ¿Sales con alguien? ¿No? —Lilly pensó que aquello también era extraño—. Pero una chica como tú debe de haber tenido montones de oportunidades.

Carol negó con la cabeza, con sus respingonas facciones graciosamente solemnes. Vivía en una habitación amueblada y no podía recibir a chicos. Además, dado que tenía que trabajar siempre que se le presentaba la ocasión, y como su horario era muy irregular, no podía hacer planes por adelantado, ni tampoco concertar citas a las que luego no pudiera acudir.

—Además —concluyó ruborizándose—, además los chicos intentan hacer ciertas cosas. Ellos... siempre..., oh, me da mucha vergüenza.

Lilly asintió sonriente y sintió una extraña ternura por la muchacha. Tenía ante sí algo, alguien absolutamente real, y la realidad era siempre de agradecer. Tal vez, en diferentes circunstancias, ella misma podría haberse convertido en una chica saludable y honesta, y real, como Carol. Pero... mentalmente movió la cabeza; a la mierda con esa cantinela.

Ella era lo que era y por eso Roy se había convertido en lo que en esos momentos era. Y ya no se podía hacer nada, suponiendo que quisiera hacer algo, pero quizá no era demasiado tarde para...

—Seguramente te preguntarás por qué soy tan entrometida. Quiero decir, curiosa —dijo Lilly—. Bueno, el caso es que no quiero gafar a mi hijo diciendo que se va a poner bien, pero...

—Oh, estoy segura de que así será, señora Dillon. Yo...

—No lo digas —la interrumpió Lilly dando un fuerte puñetazo en la mesa de madera—. Podría traerle mala suerte. Vamos a decir solo que cuando deje el hospital, si es posible, me gustaría que continuaras cuidándolo; en mi apartamento. ¿Te gustaría?

Carol asintió con entusiasmo, sus ojos brillaban. Ya llevaba trabajando más de dos semanas con la señora Dillon, mucho más de lo que había trabajado antes. Qué maravilloso sería continuar trabajando para ella y su agradable hijo indefinidamente.

—Bueno, entonces trato hecho —dijo Lilly—. Ahora tengo que darme prisa, pero... ¿Sí?

—Me preguntaba... —Carol dudaba—. Me preguntaba si... si el señor Dillon me querrá. Siempre es muy amable, pero... —Dudó de nuevo, no sabía cómo expresar lo que pretendía sin resultar maleducada. Lilly lo dijo por ella.

—Lo que intentas decirme es que Roy está resentido conmigo. Está en contra de todo lo que hago sencillamente porque lo hago yo.

—Oh, no. No quería decir eso. Bueno, no exactamente. Solo intentaba...

—Bueno, se le parece bastante. —Lilly sonrió intentando que

su voz sonara alegre—. Pero no te preocupes, querida. Trabajas para mí, no para él. Todo lo que hago es por su bien, así que no importa si al principio está un poco resentido.

Carol asintió no demasiado convencida. Lilly se levantó y comenzó a enfundarse los guantes.

—Por ahora será mejor que quede entre nosotras —dijo—. Puede que el mismo Roy llegue a sugerirlo.

—Lo que usted diga —murmuró Carol.

Se dirigieron juntas hacia la puerta de la cafetería. Allí Lilly se encaminó hacia el vestíbulo de entrada y Carol se fue a toda prisa hacia la habitación de su paciente.

La otra enfermera se marchó en cuanto terminaron de comprobar el cuadro clínico. Roy sonrió a Carol ligeramente y le dijo que tenía mal aspecto.

—Debería meterse en la cama, señorita Roberg —dijo—. Le cedo parte de la mía.

—¡Oh, no! —Carol se ruborizó hasta las orejas—. ¡No me va a ceder nada!

—Pero debería hacerlo. He visto antes a chicas con ese aspecto. La cama es el único remedio.

Carol soltó unas risitas contra su voluntad, sintiéndose perversa. Roy le advirtió muy serio que no debía reírse de esas cosas.

—Compórtese o no le daré un beso de buenas noches. ¡Lo lamentará!

—¡Claro que no! —Carol se ruborizó, soltó otra risita y se agitó nerviosa—. Venga, déjelo ya.

Enseguida, Roy puso fin a sus burlas. Ella se sentía extremadamente violenta, supuso él, y él tampoco estaba de humor.

En el lado izquierdo de la cama había una bolsa con sangre color jarabe suspendida de una percha metálica. De su boca invertida salía un tubo que se extendía hasta una aguja con aspecto de pluma en su brazo. En la parte derecha de la cama un mecanismo similar goteaba suero a la arteria de su otro brazo. La sangre y el suero lo habían alimentado desde su llegada al hospital. Tendido constantemente boca arriba con los brazos estirados, sentía dolores constantemente, que solo se aliviaban cuando se le dormían los brazos y el cuerpo. A veces se sorprendía a sí mismo preguntándose si merecía la pena vivir a tan alto precio. Pero eran dudas de buen humor, estrictamente irónicas.

Había visto la muerte por un momento y no le había gustado su aspecto. En absoluto.

Se sentía muy muy contento de estar vivo.

Sin embargo, ahora que ya se encontraba fuera de peligro, lamentaba una cosa: que fuera precisamente Lilly quien le salvara la vida. Se lo debía todo a la única persona a quien no deseaba deberle nada, una deuda que nunca podría saldar.

Podía darle todas las vueltas que quisiera. Podía apelar a su propia e increíblemente fuerte constitución y a su irresistible deseo de vivir como las verdaderas fuentes de su supervivencia. Los mismos médicos lo habían dicho, ¿no? Comentaron que era científicamente imposible que un hombre sobreviviera cuando su presión sanguínea y su hemoglobina descendían hasta un cierto nivel. Sin embargo, a él le habían descendido por debajo de ese nivel antes de llegar al hospital. Sin ayuda, se había aferrado a la vida antes de que se hiciera algo por él. Así que...

Así que nada. Necesitaba ayuda urgente y Lilly la había conseguido. Moira no había percibido tal necesidad, ni siquiera él mismo; nadie más que Lilly. Y entonces ¿de dónde había sacado la resistencia física y mental para aguantar hasta recibir ayuda médica? ¿De extraños? No.

Lo mirara como lo mirase, le debía la vida a Lilly. Y ella, inconsciente o deliberadamente, se estaba asegurando de que no lo olvidara.

Con un estilo dulcemente felino, se había mostrado tan gélida con Moira Langtry que esta, tras un par de visitas, había dejado de acudir al hospital. Llamaba todos los días para que supiera lo preocupada que estaba por él, pero no regresó. Y Lilly casi siempre se las arreglaba para rondar por ahí a la hora de sus llamadas, restringiendo prácticamente el final de su conversación a monosílabos.

Indudablemente Lilly intentaba dar fin a su romance con Moira. Tampoco terminaban ahí sus intenciones. Le había elegido una enfermera de día que era una verdadera tortuga; muy competente, pero simple como una pared de barro. En cambio, tenía una muñequita para el turno de noche, una muchacha que lo hubiera atraído aunque Lilly no le hubiera dejado pista libre, sin competición.

Oh, sabía muy bien lo que estaba sucediendo. Allá donde mirase veía la sombra de la sutil mano de Lilly. ¿Y qué podía hacer al respecto? ¿Decirle que se largara y lo dejara en paz? ¿Podía decirle: vale, me has salvado la vida, te da eso algún derecho sobre mí?

Entró un médico, no el que le había visitado en el hotel, pues Lilly lo había despachado al instante, sino un joven de aspecto alegre. Tras él entró un enfermero con un carrito metálico. Roy contempló los utensilios que llevaba y se quejó.

—¡Oh, no! ¡Otra vez eso, no!

—¿Es que no te gusta? —se rio el médico—. Nos está tomando el pelo, ¿eh, enfermera? Le encantan los lavados de estómago.

—Por favor. —Carol frunció el ceño con un gesto reprobatorio—. No tiene gracia.

—Ah, es muy difícil hacerle daño a este tipo. Manos a la obra y acabemos cuanto antes.

El enfermero lo sujetaba de un lado, con una mano sobre la aguja intravenosa. Carol se encargaba de la aguja del otro brazo, con la otra mano dispuesta sobre un recipiente con cubitos de hielo. El médico cogió un tubo estrecho de goma y se lo introdujo por la nariz.

—Y ahora quietecito, chaval. Estate quieto o se soltarán las agujas.

Roy intentaba estarse quieto, pero no podía. Mientras el tubo ascendía por su nariz para descender por su garganta, se debatía convulsivamente. Sintiendo arcadas, luchando por respirar, intentó soltarse. El médico lo maldijo en broma mientras Carol intentaba meterle pequeños cubitos de hielo entre los labios.

—Por favor, trague, señor Dillon. Tráguese el hielo y el tubo bajará solo.

Roy tragaba. Por fin el tubo descendió por la garganta hasta el estómago. El médico hizo algunos ajustes moviéndolo ligeramente arriba y abajo.

—¿Cómo va eso? No toca fondo, ¿no?

Roy dijo que creía que no. Parecía estar bien colocado.

—Muy bien. —El médico comprobó el contenedor de vidrio al que estaba unida la bomba—. Regresaré en treinta minutos, enfermera. Si le causa problemas, dele un puñetazo en el estómago.

Carol asintió extrañada. Continuó mirándolo con el ceño fruncido mientras él salía a grandes zancadas de la habitación. Después se acercó a la cama y enjugó el sudor del rostro de Roy.

—Lo siento. Espero que no le moleste demasiado.

—Está bien. —Se sentía un poco avergonzado por el jaleo que había armado—. Ya sabe, noto que está ahí dentro.

—Lo sé. Lo peor es cuando baja, luego ya no es tan malo. No se traga bien y cuesta mucho trabajo respirar. Es difícil acostumbrarse. Siempre eres consciente de que tienes un cuerpo extraño metido ahí.

—Lo explica como si a usted también le hubieran lavado el estómago alguna vez.

—Me lo han lavado muchas veces.

—¿Hemorragia interna?

—No. Al cabo de un tiempo comencé a sangrar, pero al principio no sangraba.

—¿Y eso? —Frunció el ceño—. No lo entiendo. ¿Por qué le lavaron el estómago si...?

—No lo sé. —De repente sonrió y movió la cabeza—. Fue hace mucho tiempo. En fin, de todos modos no es agradable hablar de ello.

—Pero...

—Y creo que es mejor que no hable tanto. Esté tranquilo, no haga nada que afecte a sus líquidos gástricos.

—No sé cómo puede quedarme algún líquido.

—Bueno, es igual —repuso con firmeza.

Él abandonó el tema. Era fácil abandonarlo. Fácil, en su insistente necesidad de vivir, olvidar cualquier motivo de distracción. Los años de práctica lo habían vuelto tan fácil que casi lo hacía automáticamente.

Se quedó allí tendido en silencio, observando cómo Carol se movía por la habitación, pensando que su frescura juvenil era un refrescante consuelo de la ausencia de Moira. Una chiquilla muy buena, pensó, casi tan buena como cuando vino al mundo. Así que sin duda había que intentar que siguiera así. Por otra parte, resultaría un tanto extraño que una chica tan atractiva como ella hubiese permanecido estrictamente en el lado bueno. ¿No estaban ambas cosas en contradicción? A lo mejor no sabía de qué iba la cosa...

Bien, era algo en lo que debía pensar. Evidentemente, resultaría un modo muy agradable de poner a Lilly en su sitio.

El médico regresó. Comprobó el contenedor y rio feliz.

—Nada excepto bilis. Eso es de lo que está lleno, enfermera, por si no lo sabía.

Le quitó a Roy el tubo del estómago. A continuación, maravilla de maravillas, ordenó que también le extrajesen las agujas intravenosas.

—¿Por qué no? ¿Por qué vamos a seguir dando de mamar a un farsante como tú?

—Oh, vete al infierno. —Roy le sonrió y dobló sus brazos aliviado—. Deja que me estire.

—Estupendo. Mmmm... ¿Qué te parece algo de comer?

—¿Te refieres a ese yeso líquido que llamas leche? Adelante, amigo mío.

—Pues no. Esta noche comerás un bistec, puré de patatas y todo lo demás. Incluso puedes fumarte un par de cigarrillos.

—Bromeas.

El médico negó con la cabeza y adoptó un aire serio.

—No has sangrado nada en los últimos tres días. Es hora de que tu estómago recupere la peristalsis, que empiece a fortalecerse, y eso no es posible solo con líquidos.

Roy se sentía un poco intranquilo. Después de todo, se trataba de su estómago. El médico le aseguró que no tenía por qué preocuparse.

—Si tu estómago no lo admite, lo abrimos y te cortamos un trozo. No hay problema.

Salió silbando de la habitación.

Una vez más Carol lo miró con el ceño fruncido.

—¡Ese hombre! ¡Oh, cómo me gustaría darle un buen guantazo!

—¿Cree que no pasará nada? —preguntó Roy—. Quiero decir si tomo algo sólido. No es que tenga mucha hambre y...

—¡Pues claro que no pasará nada! Si no, no le permitirían comer.

Tomó una de sus manos entre las suyas, lo contempló tan maternalmente que Roy tuvo ganas de sonreír. Contuvo el impulso asiéndose a su mano mientras la obligaba a sentarse en una silla a su lado.

—Eres una buena chica —le dijo con suavidad—. No he conocido a nadie como tú.

—Gracias... —Bajó la mirada y su voz se convirtió en un susurro—. Yo tampoco había conocido a nadie como... tú.

La contempló en la penumbra de la habitación, examinando su carita honesta y sus tiernas facciones respingonas, pensando en lo mucho que le recordaba a una niña inocente. Se puso de lado y se arrimó al borde de la cama.

—Voy a echarte de menos, Carol. ¿Volveré a verte cuando me vaya?

—No... no lo sé. —Respiraba profundamente, sin atreverse a mirarlo—. Me... me gustaría, pero debo trabajar siempre que pueda, cuando me llamen, y...

—Carol.

—¿Sí?

—Ven aquí.

La impulsó hacia delante tirándole de la mano y con su brazo libre le rodeó los hombros. Por fin levantó la vista, con ojos asustados, y se echó hacia atrás con desesperación. Y entonces, de repente, se echó en sus brazos, con su cara pegada a la de Roy.

—¿Te gusto, Carol?

—¡Oh, sí! —asintió con gesto convulsivo—. ¡Mucho, mucho! Pero...

—Escucha —dijo él. Y entonces, cuando ella escuchaba, esperaba, permaneció en silencio. Pisó el freno. Se dijo a sí mismo que no iría más lejos.

Pero ¿era cierto? Durante algún tiempo necesitaría cuidados, ¿o no? Lilly había insinuado algo parecido. Había sugerido que se quedara en su apartamento una semana o así. Él se había opuesto, claro, primero porque ella lo había sugerido, y segundo, porque le parecía absurdo. Si ella estaba trabajando en las carreras, él se quedaría solo. Pero...

Carol temblaba ligeramente en sus brazos. Se dispuso a apartarla de sí, pero, contra su voluntad, sus brazos la abrazaron con fuerza.

—Estaba pensando que aún voy a sentirme un poco débil cuando salga del hospital y que...

—¿Sí? —Carol levantó su cabeza sonriéndole, nerviosa—. Te gustaría que yo te atendiera algún tiempo, ¿no? ¿Es eso?

—¿Te gustaría hacerlo?

—¡Sí! ¡Oh, Dios mío, sí!

—Bien —dijo él en tono serio—. Lo pensaremos. Veremos qué tiene que decir mi madre. Yo vivo en un hotel, igual me quedo algunos días en su apartamento y...

—¡Saldrá bien! —Sus ojos danzaban—. Lo sé.

—¿Qué quieres decir?

—¡Que es lo que tu madre quiere! No iba... no íbamos a decírtelo aún. No estaba segura de cómo te lo tomarías, y...

Su voz se extinguió bajo la seria mirada de Roy. La ansiedad se asomó a la sonriente comisura de su boca.

—Por favor. ¿A... algo va mal?

—No, nada —repuso él—. No, no, todo marcha bien.

8

La cuarta carrera terminó. La multitud de las pistas volvió a surgir de la zona bajo la tribuna y se dirigió a la pequeña plaza porticada, con bares, restaurantes y ventanillas de apuestas. Algunos de ellos se apresuraban, sonriendo abiertamente o con sonrisas engreídas. Se encaminaban a las ventanillas de pago. Otros, la mayoría, avanzaban más lentamente, escudriñaban los programas, boletos y formularios; rostros indiferentes, desesperados, enfadados o taciturnos. Eran los perdedores. Algunos de ellos proseguían su camino hacia las salidas que conducían al aparcamiento, y otros se detenían en los bares, pero la mayoría se encaminaba a las ventanillas de apuestas.

Aún era temprano. Aún quedaban muchos bolsillos llenos. La tropa no rompería filas hasta el final de la sexta carrera.

Lilly Dillon cobró tres apuestas en sendas ventanillas. Metiendo el dinero en un compartimento de su bolso, ya que tendría que dar cuentas de él, se apresuró hacia las ventanillas de apuestas. El dinero para apostar, el efectivo para jugar que llegaba diariamente por giro telegráfico, ya estaba separado en fajos de veinte, cincuenta y cien. Usaba los de veinte todo lo que el limitado tiempo le permitía, generalmente quinientos cada vez. Con los de cincuenta era más precavida y los de cien los usaba con notoria tacañería.

Posiblemente, o mejor probablemente, buena parte de sus preocupaciones eran en vano. Los agentes del Tesoro no se interesaban por las apuestas; normalmente estaban ojo avizor a las ganancias, al cobro de fajos de cincuenta y cien dólares. Lilly no estaba allí para ganar, y raras veces lo hacía. Sus actividades eran más bien preventivas, por lo general, al margen de favoritos o casi favoritos. Los puntos de ventaja sobre tales caballos ya estaban bien cubiertos. Se dedicaba principalmente a «probables», que no solían producir dinero. Cuando lo hacían, solo recaudaba el dinero si parecía absolutamente seguro. Si no, dejaba que las ganancias se fueran acumulando en los boletos para una posterior comprobación.

Hasta cierto punto era una agente libre. Recibía ciertas instrucciones generales, pero se le permitía y se esperaba que utilizase su propio juicio. Lo cual no facilitaba más las cosas, por supuesto. Todo lo contrario. Era un trabajo duro y le pagaban muy bien por él. Y, además, había modos de incrementar ese sueldo.

Modos que Bobo Justus habría desaprobado, pero eran muy difíciles de detectar.

Caminó pausadamente hasta uno de los bares, con sus ojos atentos tras las gafas oscuras. En varias ocasiones se detuvo y rápidamente recogió un boleto desechado y lo añadió a los que ya guardaba en el bolso. Los boletos perdedores se tiraban, y mientras no estuvieran sospechosamente arrugados o rotos, podía contarlos como dinero gastado.

Al menos un buen número de ellos. No se podía abusar. Solo se pasó una vez en aquel asunto y fue un error. O mejor dicho, lo hizo para encubrir un error.

Había ocurrido hacía casi tres semanas, justo después del ingreso de Roy en el hospital. Tal vez aquella fue la causa, tenía la cabeza en él en vez de en su trabajo. Pero, en fin, un caballo se había colado con ciento cuarenta a dos, y sin que ella apostara ni un pavo por él.

Aquella noche se había sentido demasiado asustada y preocupada para dormir. Y su preocupación se incrementó cuando al día siguiente los periódicos insinuaban fuertes apuestas por fuera en el jamelgo. A modo de cara pero necesaria precaución, había enviado cinco mil dólares de su propio bolsillo a Baltimore; supuestas ganancias por el caballo. Aparentemente, aquello le había quitado la soga del cuello, pues no había oído ni una palabra por parte de Bobo. Pero transcurrieron muchos días antes de que pudiera descansar tranquila.

Durante algún tiempo incluso llevaba la pistola consigo cuando iba al baño.

De pie en la barra bebía su ron con Coca-Cola, observando la caótica masa humana con algo bastante semejante al asco. ¿De dónde salían?, pensaba hastiada. ¿Por qué perdían el tiempo en una estafa como aquella? Muchos de ellos presentaban un aspecto desaliñado. Algunos incluso llevaban a los niños con ellos.

Madres con críos... Hombres con camisetas y pantalones caídos... Abuelas con cigarrillos colgando de sus bocas.

¡Ajj! Era como para vomitar.

Se alejó de ellos arrastrando los pies, cansada. Vestía ropa deportiva: un sencillo pero caro conjunto de pantalón, blusa y chaqueta beis, con zapatos planos. Todo prendas frescas y ligeras, lo más cómodo que tenía. Aunque nada podía compensar las horas que pasaba de pie.

Mientras la quinta y sexta carreras transcurrían monótonamente, y ella iba y venía de las ventanillas de pago y apuestas, la lucha entre su creciente cansancio y la interminable necesidad de mantenerse alerta acabaron casi en tablas. Era difícil pensar en otra cosa que en sentarse, en descansar durante unos minutos al menos. Era imposible no pensar en ello. Exigencia y necesidad luchaban en su interior, empujándola de un lado a otro, impulsándola y a la vez sujetándola; sumándose insoportablemente a la carga que ya llevaba.

En la tribuna había asientos, por supuesto, pero eran para los palurdos. Para cuando entraba en las gradas ya tenía que regresar a las ventanillas. El esfuerzo de ir y volver no le compensaba. En cuanto al club, con sus cómodas sillas y su agradable barra de cócteles, bueno, naturalmente estaba descartado. Había demasiado dinero flotando, demasiadas apuestas fuertes. A los chicos del Tesoro les encantaba ese sitio.

Dejó la taza de café, la tercera en la última hora, y caminó cansinamente hacia las ventanillas de apuestas. La séptima carrera, la penúltima, estaba a punto de comenzar. Siempre atraía las apuestas más fuertes de la jornada y los paletos se apresuraban a comprar boletos. Mientras Lilly se abría paso entre ellos, un sardónico pensamiento le vino de repente a la cabeza. A pesar de su agotamiento, casi se rio a carcajadas.

«Bueno, ¿no es increíble? —pensó—. Veinticinco años intentando apartarme de la chusma, y aquí estoy, justo en medio de ella. ¡Mierda!, nunca he salido de aquí».

Cobró un par de apuestas por la séptima carrera, y depositó el dinero en el bolso mientras salía en dirección al aparcamiento. No se iba a perder nada en la última carrera. Si se largaba ahora, antes de que la multitud descendiera de las gradas, podía evitar el atasco de última hora.

Había aparcado el coche junto a la salida, en la plaza de aparcamiento más cercana que pudo conseguir a cambio de una buena propina. Tenía un descapotable: muy buen coche, pero para nada el más caro. Ni siquiera espectacular. Su único rasgo distintivo no estaba a la vista: un compartimento secreto que contenía ciento treinta mil dólares en metálico.

Mientras se aproximaba al coche y veía al hombre que estaba a su lado, Lilly se preguntó si viviría lo bastante para gastar ese dinero.

9

Bobo Justus tenía el pelo ondulado, de un color gris metálico, y un rostro de timador intensamente bronceado. Era un hombre pequeño, es decir, bajo, pero la cabeza y el torso eran los de un hombre de metro noventa. Como conocía su sensibilidad a la altura, Lilly se alegró de llevar zapatos planos. Al menos, era algo a su favor; aunque dudaba de que importase mucho a juzgar por su expresión. Se dirigió a ella en tono monótono, sin mover apenas los labios.

—¡Maldita cerda estúpida! ¡Mira que conducir este maldito carromato circense! ¿Por qué no le pintas también un ojo de buey? O cuélgale un par de cencerros en el parachoques.

—Escucha, Bo. Los descapotables son muy corrientes en California.

—Los descapotables son muy corrientes en California —repitió en tono de burla moviendo remilgadamente los hombros—. ¿Son tan corrientes como una puta tramposa? ¿Eh? ¿Lo son, cochina tramposa?

—Bo. —Echó un rápido vistazo a su alrededor—. ¿No es mejor que vayamos a algún sitio más adecuado?

Echó hacia atrás su mano como para abofetearla, pero después le dio un empujón hacia el coche.

—Anda, vamos —dijo—. Al Beverly Hills. Cuando te tenga a solas, voy a reventarte todos los granos de tu precioso culito.

Ella puso el coche en marcha y condujo hasta el portón de

entrada. Cuando se unían al tráfico, él frunció los labios a modo de insulto.

Lilly lo escuchaba con atención, intentando adivinar si estaba acumulando presión o soltándola. Seguramente lo último, supuso; habían transcurrido ya tres semanas desde su metedura de pata. Si estuviera tan enfadado, ya habría tomado sus medidas mucho antes.

Permaneció en silencio la mayoría del tiempo, sin contestar excepto cuando era apremiada o le parecía oportuno.

—... te dije que vigilaras la quinta carrera, ¿o no? Y por Dios que la vigilaste, ¿o no? Apuesto a que estuviste allí de pie descojonándote de risa mientras el caballo se colaba con ciento cuarenta a favor.

—Bo, yo...

—¿Qué tajada te dieron tus colegas para que les dejases pista libre? ¿O te dieron la misma mierda que tú me diste a mí? ¿Qué coño eres tú? ¿Eh? ¿Una yegua con tetas?

—Puse dinero en el caballo —respondió Lilly pausadamente—. Sabes que lo hice, Bo. Después de todo, no pretenderías que me pasase.

—Pusiste dinero en él, ¿eh? Ahora voy a hacerte una pregunta: ¿vas a seguir contándome esa mierda o quieres conservar la dentadura?

—Quiero conservar la dentadura.

—Ahora voy a hacerte otra pregunta. ¿Crees que no tengo contactos aquí? ¿Crees que no puedo conseguir un informe de las jugadas sobre el caballo?

—No, no lo creo. Estoy segura de que puedes, Bo.

—El caballo liquidó a precio de apertura. No había ni una mísera apuesta en el panel del total cuando lo sacaron. —Encendió un cigarrillo y dio un par de enfurecidas caladas—. ¿Qué clase de mierda intentas colarme, Lilly? No hay movimiento ni para hacerle cosquillas al total, y tú me vienes con una ganancia de cinco de los grandes. ¿Qué te parece? ¿Vas a soltarlo de una vez?

Respiró hondo. Dudó. Asintió. Ya solo le quedaba una salida: contar la verdad y esperar lo mejor.

Eso hizo. Justus se volvió en su asiento estudiándola, analizando su expresión durante toda la explicación. Cuando concluyó, se volvió hacia atrás de nuevo y guardó un sepulcral silencio durante algunos minutos.

—Así que solo fuiste una estúpida —concluyó—. Dormida como una idiota. ¿Crees que voy a tragármelo?

Lilly asintió tranquilamente. Ya se lo había tragado, dijo, hacía tres semanas; no sospechó la verdad hasta que se lo contaron.

—Sabes que es cierto, Bo. Si no, ya estaría muerta.

—¡No pierdas las esperanzas de estarlo, amiga mía! ¡Tal vez vas a desear estar muerta!

—Tal vez.

—Conseguí montar una cola de más de cien metros para esta mierda. La cola más cara de la historia. Quiero recuperar lo que gasté.

—Pues mejor buscas otro objetivo —dijo Lilly—. No voy a ser yo la que cargue con el mochuelo.

—Estás muy segura, ¿eh?

—Del todo. Dame un cigarrillo, por favor.

Él sacó un cigarrillo del paquete y se lo pasó. Ella lo cogió y volvió a pasárselo.

—¿Te importaría encendérmelo, Bo? Necesito ambas manos para conducir.

Escuchó un sonido, algo entre una risa y un jadeo, entre el enfado y la admiración. A continuación, Bobo le encendió el cigarrillo y se lo colocó entre los labios.

Mientras continuaban el trayecto, ella podía intuir las miradas que Bobo le lanzaba, casi podía ver cómo trabajaba su mente. Ella era un problema para él. Era una empleada muy especial y valiosa, y le gustaba, pero había cometido un grave error. No había sido intencionado y se trataba de su único error serio en más de veinte años de fieles servicios. Así que había un poderoso argumento para el perdón. Por otra parte, estaba mostrando una paciencia muy poco habitual en él al no haberla matado, y eso ya era mucho decir.

Evidentemente, había mucho que sopesar en el asunto. Como ya la había perdonado tanto, podía perdonarla del todo. O, por el contrario, quizá ya la había perdonado demasiado, y por tanto no tenía por qué perdonarla más.

Estaban casi llegando al hotel cuando tomó su decisión.

—Tengo un montón de gente trabajando para mí, Lilly. No puedo permitir que sucedan cosas como esta.

—Nunca había ocurrido antes, Bo. —Luchaba por mantener un tono de voz equilibrado, sin síntomas de súplica—. No volverá a ocurrir.

—Ya ha ocurrido una vez —dijo él—. Para mí es como si ya fuera una costumbre.

—Muy bien —repuso ella—. Decide el castigo.

—¿Llevas algún abrigo largo? ¿Algo que puedas ponerte encima?

—No. —Sintió una punzada en el estómago.

Él dudó. Después dijo que no importaba; le prestaría su gabardina.

—Podrías ir a la moda. Eres la mujer más desaliñada que conozco.

Aparcó a la entrada del hotel y un empleado se encargó del coche. Bobo le indicó que subiera las escaleras y cortésmente le ofreció su brazo cuando entraban en el edificio. Cruzaron el vestíbulo, Bobo manteniéndose muy erguido. Entraron en el ascensor.

Tenía una suite en el cuarto piso. Tras abrir la puerta, la invitó a entrar. Ella lo hizo intentando que su cuerpo perdiera la rigidez, preparándose para lo que sabía que iba a venir. Pero nunca puedes prepararte del todo para algo así. El repentino empujón le hizo cruzar violentamente la habitación, tambaleándose y tropezando para al final resbalar y caer aparatosamente.

Mientras se ponía en pie lentamente, él echó el cerrojo a la puerta, bajó las persianas y entró en el baño para salir al poco tiempo con una larga toalla en la mano. Se dirigió al aparador y tomó algunas naranjas de una cesta de fruta, las metió en la toalla y anudó los cabos a modo de bolsa. Balanceándola con despreocupación, se acercó a ella. Una vez más Lilly intentó no estar muy tensa y prepararse para la sacudida.

Conocía el uso de la toalla y las naranjas. Conocía todo ese tipo de estratagemas, aunque nunca antes había sido la víctima. Las naranjas eran un método que utilizaban los matones, una argucia de los falsificadores profesionales de accidentes.

Cuando golpeas a alguien con la fruta, apenas la hieres, pero le llenas el cuerpo de moretones. Parece realmente herido cuando en realidad no lo está en absoluto.

Aunque si no se hace adecuadamente, si se golpea lo suficientemente fuerte y en ciertas zonas del cuerpo, sí que se le puede causar heridas serias. Sin sentir mucho dolor, se le pueden destrozar los órganos internos. Bien utilizadas (o mal utilizadas), las naranjas producían un efecto parecido a una lavativa o a una inyección de yeso.

Bobo se acercó. Se detuvo frente a ella y se apartó hacia un lado quedando un poco por detrás de ella.

Sujetó la toalla con ambas manos. Y asestó un golpe al aire.

Luego dejó que las naranjas se desperdigaran inofensivamente por el suelo.

Le hizo un gesto.

Ella se agachó para recoger la fruta. Una vez más se encontró tendida en el suelo. Sintió unas rodillas clavándose en su espalda y una mano sujetándole la cabeza. La obligó a permanecer contra la moqueta con los miembros extendidos.

Por el pasillo pasó una pareja que reía y charlaba. Una pareja de otro planeta. Desde el salón, desde otro mundo, llegaba el sonido débil de una música.

Escuchó el chasquido de un encendedor. Olió el humo. Después olió la carne quemada mientras él mantenía la brasa candente contra el dorso de su mano. Bobo lo hacía con comedida firmeza, lo suficiente para que siguiera quemando sin apagarse.

Las rodillas trabajaron con experta crueldad.

El cigarrillo le abrasó la mano mientras las rodillas aplastaban los nervios sensitivos de la columna vertebral. El mundo se hacía eterno, un infierno interminable. No había escape. No había alivio. No podía gritar. Incluso resultaba imposible revolverse. El mundo era a la vez sufrible e insufrible. Y el único alivio posible se encontraba dentro de su propio cuerpo.

La orina caliente contenida estalló en su pubis. Parecía surgir como un torrente.

Bobo se puso en pie, la liberó, y ella se levantó y se dirigió al baño.

Mantuvo la mano bajo el chorro de agua fría, después la secó delicadamente con una toalla y la examinó. La quemadura era horrible, pero no parecía grave. No había afectado a ninguna vena. Se bajó los pantalones y se limpió con una toalla ligeramente humedecida. Eso era todo lo que podía hacer por el momento. La gabardina cubriría su ropa manchada.

Salió del baño y se dirigió al sofá donde Bobo estaba sentado. Aceptó la copa que le ofreció. Él sacó su cartera y le tendió un grueso fajo de billetes nuevos.

—Tus cinco grandes, Lilly. Casi se me olvida.

—Gracias, Bo.

—Bueno, ¿y cómo te va estos días? ¿Me robas mucho?

—No demasiado. Mis viejos no criaron críos estúpidos —dijo Lilly—. Solo me quedo un pavo de vez en cuando. Llegan a ser unos cuantos, pero nadie sale perjudicado.

—Eso es —asintió Justus—. Coge un poco y deja otro poco.

—Así es como yo lo veo —dijo Lilly enunciando con perspicacia la filosofía de Bobo—. Una persona que no cuida de sí misma es demasiado imbécil para cuidar de los intereses de otra. Es un riesgo, ¿no te parece, Bo?

—¡Totalmente de acuerdo! Tienes razón al mil por cien, Lil.

—O si no, es que trama algo. Si no roba un poco, significa que está robando un montón.

—¡Correcto!

—Me gusta tu traje, Bo. No sé por qué, pero te hace parecer más alto.

—¿De veras? —Le regaló una sonrisa radiante—. ¿De verdad te lo parece? ¿Sabes? Un montón de gente me ha dicho lo mismo.

Su amigable charla continuaba mientras la oscuridad se cernía sobre la habitación. A Lilly le dolía la mano, y las ropas mojadas quemaban e irritaban su piel. Tenía que marcharse dejándole una buena impresión. Tenía que asegurarse de que la deuda entre ellos quedaba saldada, que la iba a dejar irse tranquila.

Discutieron varios asuntos de negocios que ella había llevado a cabo para él en Detroit y en otras ciudades, comentó su tortuoso recorrido por la costa. Bobo le dijo que solo iba a quedarse un día en la ciudad. Al día siguiente regresaría al este vía Las Vegas, Galveston y Miami.

—¿Otra copa, Lilly?

—Bueno, una pequeña. Tengo que irme dentro de un rato.

—¿Por qué tanta prisa? Pensaba que íbamos a cenar juntos.

—Me encantaría, pero...

Pero era mejor no quedarse, mejor largarse mientras seguía estando a buenas. Había tenido mucha mucha suerte, mejor no seguir tentándola.

—Tengo un hijo que vive aquí, Bo. Un vendedor. No nos vemos muy a menudo, así que...

—Bueno, claro, claro —asintió él—. ¿Cómo le van las cosas?

—Está en el hospital. Problemas de estómago. Suelo visitarlo todas las noches.

—Claro, naturalmente. —Frunció el ceño—. ¿Tiene todo lo que necesita? ¿Puedo hacer algo?

Lilly le dio las gracias negando con la cabeza.

—Está bien. Creo que saldrá en un par de días.

—Bueno, mejor que te des prisa —dijo Bob—. El chico está enfermo y necesita a su madre.

Sacó la gabardina del armario, se la puso y se anudó el cinturón. Se despidieron y ella se fue.

Un poco de orina se le había escurrido por las piernas y ahora le picaban y le escocían. Además sentía una desagradable humedad en los zapatos. La ropa interior también le molestaba y la culera de los pantalones parecía estar empapada. El dolor de la mano derecha aumentó, extendiéndose lentamente por la muñeca y el brazo.

Esperaba no haberle ensuciado el sofá a Bobo. Había tenido mucha suerte si consideraba la cantidad que su metedura de pata debía de haberle costado; un detalle como aquel podía echarlo todo a perder.

Se metió en el coche y se alejó del hotel.

Mientras entraba en su apartamento, se deshizo de los zapatos y comenzó a quitarse la ropa, que quedó en el suelo formando una hilera a su espalda de camino al baño. Cerró la puerta. Arrodillándose, se colocó frente a la taza como si fuera un altar y un gran sollozo agitó su cuerpo.

Llorando histéricamente, riéndose y gritando, comenzó a vomitar.

«Qué suerte...

»Ha sido fácil librarme...

»¡Vaya si he tenido suerte!».

10

Pocos minutos antes de las doce del mediodía, Moira Langtry salió por la abovedada puerta del hospital y cruzó la calle en dirección al aparcamiento. Se había levantado inusualmente temprano aquel día para prepararse de modo especial, y el resultado había estado a la altura de sus expectativas. Su aspecto era de ensueño, una fragante visión de ojos apasionados y encanto. Las enfermeras la miraban con envidia cuando caminaba esplendorosa por los pasillos. Los médicos y enfermeros casi babeaban, sin apartar sus ojos de la delicada agitación armónica de sus senos y el sensual contoneo de sus redondeadas caderas.

La mayoría de las veces Moira no gustaba a las mujeres. Y ella se alegraba de que así fuera, tomándolo como un cumplido y devolviéndoles a la vez su desagrado. Los hombres, por supuesto, se sentían invariablemente atraídos, reacción que ella esperaba y alimentaba, pero a la que reaccionaba con frialdad. En muy raras ocasiones le atraían. Roy Dillon era una de esas excepciones. A su modo, le había sido fiel durante los tres años de su relación.

Roy era divertido. La excitaba. Con respecto al resto de los hombres, Roy era un lujo, algo que no le había sucedido más de media docena de veces en toda su vida. Seis hombres de los cientos que habían poseído su cuerpo.

Si lograba sacarle provecho, muy bien. Esperaba y creía que llegaría a hacerlo. Si no, seguiría queriéndolo, y no tenía intención de que se lo quitaran. Por supuesto, no se trataba de que no pudiese arreglárselas sin él; las mujeres a las que les ocurría eso con respecto a un hombre solo salían en las películas. Sencillamente, no podía permitirse tal pérdida, una clara amenaza a su propia seguridad.

Cuando las cosas llegasen al punto de que no pudiera mantener a un hombre a su lado, entonces estaría acabada. Bien, cuando llegase el caso podría decidirse a saltar al vacío desde la ventana más próxima.

Por eso aquel día se había levantado temprano, con disciplina, convencida de que iba a anotarse una victoria. Pensaba que si llegaba al hospital a una hora temprana podría ver a Roy a solas, para variar, y estimular el apetito que no había saciado últimamente. Sentía que era absolutamente necesario; especialmente considerando que su madre trabajaba en su contra, metiéndole a aquella guapa enfermerita por los ojos.

Y aquel día, después de todas las molestias que se había tomado, su maldita y presuntuosa madre estaba allí. Era como si le hubiera leído la mente sospechando intuitivamente su visita al hospital. Había perdido su maldito culo por estar allí.

Echando humo, Moira llegó al aparcamiento. El encargado, con la cara llena de espinillas, se apresuró a abrirle la puerta del coche, y mientras subía lo recompensó con una exhibición de sus piernas.

Se alejó respirando profundamente, deseando poder encontrarse con Lilly Dillon a solas en un callejón oscuro. Cuanto más pensaba en aquella visita, más se enfadaba.

¡Eso es lo que pasaba por intentar ser amable con la gente! ¡Intentas ser amable con ellos y hacen que parezcas idiota!

«Por favor, no me venga con lo de que es imposible que sea la madre de Roy, señorita Langtry. Estoy más que harta de oírlo».

«¡Lo siento! No era mi intención. ¿Cuántos años debe de tener, señora Dillon?, ¿unos cincuenta?».

«Aproximadamente, querida. Soy aproximadamente de su edad».

«¡Creo que mejor me voy!».

«Puedo llevarla si quiere. Solo tengo un Chrysler descapotable, pero siempre es mejor que ir en autobús».

«¡Gracias! Me he traído la bicicleta».

«Lilly, la señorita Langtry tiene un Cadillac».

«¡No me digas! ¿No le parece que son un poco vulgares, señorita Langtry? Ya sé que es un buen coche, pero últimamente no ves más que a fulleros chabacanos conduciendo Cadillacs».

Las manos de Moira se aferraron con más fuerza al volante.

Se dijo a sí misma que no le importaría en absoluto matar a la señora Dillon. Podría estrangularla con sus propias manos.

Al llegar al edificio donde vivía, dio las llaves del Cadillac al portero y atravesó el vestíbulo para dirigirse al restaurante.

Ya era mediodía. La mayoría de las mesas estaban ocupadas y los camareros ataviados con chaqueta de etiqueta entraban y salían a toda prisa de la cocina con bandejas de comida de delicioso olor. Uno de ellos le llevó a Moira una enorme carta. La estudió y se detuvo ante el filete *mignon* con champiñones (6,75 dólares).

Tenía hambre. Su desayuno había consistido en su habitual zumo de uva sin azúcar y café solo. Pero necesitaba un trago más que la comida, dos o tres copas fuertes y reconfortantes. No podía permitirse demasiadas calorías al día.

Cerró la carta y se la devolvió al camarero.

—Por ahora solo una copa, Allen. —Sonrió—. Comeré más tarde.

—Claro, señorita Langtry. ¿Un Martini tal vez? ¿Gibson?

—Mmm, no. Algo con más carácter. Por ejemplo, un sidecar con bourbon en vez de brandy. Y, Allen, sin triple seco, por favor.

—Estupendo. —El camarero anotó en su bloc—. Siempre hacemos los sidecar con Cointreau. ¿Querrá el borde del vaso azucarado o sin azúcar?

—Sin. Un dedo y medio de bourbon y un dedo y medio de Cointreau, con un trocito de piel de lima en vez de limón.

—Inmediatamente, señorita Langtry.

—Y, Allen...

—¿Sí, señorita Langtry?

—Lo quiero en copa de champán. Una copa completamente helada, por favor.

—Por supuesto.

Moira lo observó mientras se alejaba a toda prisa, ocultando tras sus cuidadosas facciones una incipiente sonrisa. Bueno, tampoco era para morirse, pensó. No había duda de que el mundo se estaba yendo al infierno cuando un hombre adulto revoloteaba por ahí con un ridículo esmoquin, alrededor de damas con nariz bronceada cuya mayor preocupación era pedir una copa. ¿Dónde había empezado todo? Se preguntaba. ¿En qué momento se había producido aquella desviación de la humanidad, capaz de mezclar copas con una mano y lanzar bombas con la otra?

Reflexionó sobre ello por un momento, aunque no en estos términos, por supuesto. Sencillamente sentía que los tiempos andaban dislocados, y que se daba mayor énfasis a las ocupaciones menos valiosas.

En realidad, todo se reducía a fastidiar al resto del mundo sin motivo aparente. Y el infierno de todo ello era que no parecía haber modo de volver a la buena senda. Ya no podrías ser tú mismo nunca más. Si una mujer pedía un chupito doble con una cerveza en un sitio como aquel, seguramente la echarían. Y lo mismo si lo que le apetecía era una hamburguesa con cebolla cruda.

Ya no podías danzar al son de tu propia música. En aquellos días ya no podías ni escucharla... Ella ya no podía escucharla. Se había perdido; esa música que cada uno lleva en su interior y que le hace avanzar por el camino correcto. Sí, se había perdido junto a aquel hombre enorme y tramposo, el guasón e introspectivo hombre que le había enseñado cómo escucharla.

«Cole Langley (Lindsey, Lonsdale). Cole Langley, el Granjero».

Le trajeron la copa y le dio un trago rápido. Luego, con cierta desesperación, casi vació el vaso. Aquello ayudaba. No podía pensar en Cole sin que todo se hiciera pedazos.

Ella y el Granjero habían vivido juntos durante diez años, diez de los años más maravillosos de su vida. Había sido una vida de nómadas, ese tipo de vida ante el que la mayoría de la gente arrugaría la nariz; pero había sido así por elección, no por necesidad. Tratándose de Cole, parecía el único modo de vida posible.

En aquellos días siempre viajaban en tren. Vestían como les apetecía, generalmente monos y pantalones caqui para él y prendas de algodón para ella. De vez en cuando, Cole conseguía una botella de whisky, que siempre llevaba envuelta en una bolsa de papel. En lugar de comer en restaurantes, llevaban un montón de comida envuelta en papel de periódico. Y cada vez que el tren se detenía, Cole saltaba para comprar montones de caramelos, dulces, bebidas frías, galletas y todo lo que caía en sus manos.

Naturalmente todo aquello no era para ellos. Cole disfrutaba con la abundancia, pero era quisquilloso con la comida y bebía poco. La comida y el alcohol eran para que circularan, y del modo en que él lo hacía, nadie se negaba. Sabía perfectamente lo que tenía que decir a cada persona: un versículo de las Escrituras, una cita de Shakespeare, una simple broma. Antes de una hora todo el mundo en el compartimento comía, bebía y se animaba. Y Cole solía sonreír de oreja a oreja, como si fueran un puñado de críos y él su cariñoso padre.

Las mujeres no la odiaban en aquella época.

Los hombres no la miraban como lo hacían ahora.

La amabilidad, la habilidad para hacer amigos era el arma que el Granjero utilizaba en los negocios, por supuesto. Algo que acaba convirtiéndose en dinero que cobraba en las ventanillas de bancos de ciudades pequeñas, mediante una serie de maniobras sencillas a primera vista, pero totalmente desconcertantes. Aunque él insistía en considerar los beneficios un simple y justo intercambio. A cambio de algo tan inútil y carente de sentido por sí mismo como el dinero, él daba grandes esperanzas y una nueva perspectiva en la vida. Y jamás surgía nada que transparentara la realidad de sus estratagemas. La gente siempre se quedaba con fe y esperanza.

Bueno, ¿y qué más podía pedir? ¿Qué podía ser más importante en la vida que tener algo que esperar y algo en lo que creer?

Durante más de un año vivieron en una destartalada granja de Missouri, veinticinco hectáreas de terreno fangoso y escarpado, en una casa que no disponía de ninguna comodidad moderna y con un retrete en el exterior. Aquella fue su mejor época juntos.

Era un retrete de dos hoyos, y en ocasiones se sentaban allí juntos durante horas. Fisgaban a los ocasionales transeúntes que pasaban por el camino de barro rojo lleno de baches. Observaban a los pájaros brincar por el patio. Charlaban tranquilamente o leían un periódico o una revista del montón acumulado desordenadamente en una esquina de la caseta.

—Pero mira esto, Moira —decía él señalando algún anuncio—. Mientras el precio de la carne ha subido veintitrés centavos por libra durante la última década, el precio del carbón solo se ha incrementado medio centavo por libra. Parece que los comerciantes de carbón nos dejan respirar, ¿no?

—Bueno... —No siempre sabía cómo responderle, si se trataba de un ocioso comentario o en realidad intentaba decirle algo.

—O tal vez no sea así —decía él—, si consideras que la carne se vende generalmente por kilos y el carbón por toneladas.

De vez en cuando ella encontraba una buena respuesta, como la vez en la que él había comentado: «Cuatro de cada cinco médicos toman aspirinas», ¿qué opinaba ella de eso? «Yo diría que el quinto es un tipo afortunado —respondió—. Es el único que no sufre dolores de cabeza», y Cole se había sentido muy satisfecho de ella.

Se divertían un montón con los anuncios. Después, y durante

años, a veces ella observaba algún simple mensaje publicitario y se partía de risa.

«Atención, parcela vallada...». «¿Te invaden los gérmenes por grietas y rincones...?». «¡También tú puedes aprender a bailar!».

Incluso ahora seguía riéndose. Pero con ironía, con sardónica amargura. No como ella y Cole se habían reído.

Un día, cuando él intentaba llegar al fondo de la pila de revistas, esta se volcó dejando al descubierto una especie de caja a la que le habían practicado un agujero en la parte superior: un orinal para niños.

Moira comentó que era gracioso. Pero Cole continuó contemplándolo mientras la risa se difuminaba en sus ojos y su boca temblaba enfermiza. Entonces se volvió y le dijo en un susurro: «Apuesto a que mataron al crío. Apuesto a que está enterrado bajo nuestros pies».

Ella se quedó aturdida, sin habla. Se quedó allí sentada contemplándolo, incapaz de moverse o hablar, y Cole interpretó su silencio como conformidad. Él continuó hablando en voz baja, resultando incluso más persuasivo y conmovedor de lo habitual. Y después de algún tiempo ya no existía la realidad, sino un horrible malestar que él había creado, y ella se halló a sí misma asintiendo a lo que él decía.

No, a ningún niño se le debía permitir vivir. Sí, se debía matar a todos los niños cuando nacían. Era lo mejor que se podía hacer por ellos. Era el único modo de evitarles un tormento inútil, una frustrante e inútil tortura, la confusión paradójicamente maligna que representaba la vida en el planeta Tierra.

Subconscientemente, ella sabía que por primera vez estaba viendo al verdadero Cole, y que el risueño y amigable Cole era tan solo una sombra huyendo de las convicciones de su propietario. En su mente quería gritar, decirle que estaba equivocado, que no existían verdades absolutas y que el hombre auténtico muy bien podría escapar de las sombras.

Pero carecía del vocabulario adecuado para tales pensamientos, la inteligencia para hilvanarlos. Vagaban en su mente caóticos e incoherentes mientras Cole, como siempre, resultaba absolutamente convincente. Así que al final la había convencido. Aprobaba todo lo que él decía.

Y de repente había comenzado a insultarla. Entonces era una farsante, una asquerosa hipócrita. No podía hacer nada por sí misma, ni por los demás, ya que no creía en nada.

Desde ese día el Granjero empezó a hundirse. Saltaron de la granja a Saint Louis, y cuando no estaba completamente borracho, estaba drogado. Habían amasado un buen botín, o mejor dicho, Moira lo había amasado. En secreto, como hacen muchas esposas, a pesar de que ella no era legalmente su esposa, ahorrándolo durante años. Pero la sustancial suma no duraría mucho al ritmo que él llevaba, así que tal como lo veía solo quedaba una salida. Decidió prostituirse.

En su círculo profesional, aquello no representaba estigma alguno, prostituirse era una práctica aceptada para una mujer cuando su hombre pasaba una mala época. Pero había fulanas a patadas, y solamente las chicas con clase, las damas elegantemente vestidas, tenían la oportunidad de sacarse una buena pasta. Y a Cole le sacaba de quicio la Moira con clase.

Se mostraba cada vez más fanático en sus acusaciones de que era una hipócrita y una escéptica, acallando sus argumentos de que solamente lo hacía por ayudarlo. Le gritaba violentamente que en el fondo de su corazón era una fulana, que siempre había sido una fulana, que ya lo era cuando la conoció.

Aquello no era cierto. En su anterior vida de modelo y camarera de cócteles se había entregado ocasionalmente a hombres recibiendo regalos a cambio. Pero eso no era lo mismo que prostituirse. Le gustaban los hombres en cuestión. Lo que les daba lo hacía libremente, sin ánimo de lucro, al igual que los regalos que recibía.

Aunque las falsas acusaciones de Cole no eran más que los comentarios de un insensible, empezaron a dolerle cada vez más. Tal vez no supiera lo que decía o tal vez sí. Pero incluso la bofetada inocente de un niño puede hacer daño, y acaso más que la de un adulto, pues quien la recibe no puede devolverla. El único recurso que queda entonces, cuando el dolor se hace insoportable, es alejarse del alcance del niño...

La última imagen que Moira guardaba de Cole Langley, el Granjero, era la de un hombre vestido con un mono que lloraba y gritaba «¡Puta!» desde la acera, delante de su destartalada casa mientras ella se alejaba en taxi de allí.

Moira quería dejarle aquel dinero apestoso. O por lo menos la mitad. Pero sabía que sería inútil. O se lo robarían o lo despilfarraría sin más. Era imposible ayudarlo, al menos para ella, y todo lo que pudiera hacer no haría sino alargar su agonía.

Ignoraba qué había sido del Granjero. Había tratado por todos los medios de no saberlo. Aunque esperaba que hubiera muerto. Era lo mejor que podía desearle al hombre al que tanto había amado.

11

Moira dio un buen trago a su tercer sidecar de bourbon. Se sentía un poco achispada (aborrecía estar borracha de verdad) y sonrió al hombre que se acercaba a su mesa.

Se llamaba Grable, Charles Grable, y era el administrador del edificio en el que vivía. Iba vestido con pantalones de rayas y un chaqué negro bastante grueso. Tenía los ojos medio cerrados y la cara rolliza y de aspecto irritado. Al sentarse, en su empeño por parecer serio, su boca dibujó una mueca casi infantil.

—Espera, no me lo digas —dijo Moira en tono solemne—. Eres Addison Simms, de Seattle, y comimos juntos en el otoño de 1902.

—¿Qué? ¿De qué hablas? —la interrumpió Grable—. ¡Escúchame, Moira, por favor! Yo...

—¿Qué tal tu parcela vallada? —preguntó de pronto Moira—. ¿Te invaden los gérmenes por las grietas y los rincones?

—¡Moira! —Se inclinó hacia delante, enfadado, y bajó la voz—. Por última vez te lo pido, Moira. ¡Quiero que pagues hoy mismo! ¡Hasta el último centavo, el alquiler y todos los gastos que hace siglos que me debes! O pagas o te echo del piso.

—Charles, por favor. ¿Acaso he dejado de pagar alguna vez? ¿Es que no llegamos a un acuerdo siempre... de un modo u otro?

Grable se sonrojó y miró por encima del hombro. Su voz se convirtió en una mezcla de súplica y de queja:

—No puedo volver a hacerlo, Moira. ¡No puedo y punto!

¡Gente que se queda más tiempo del que han pagado, otros que llegan antes de la fecha de entrada, que pagan dinero que no aparece en los libros...! Yo, yo...

—Lo comprendo. —Moira lo miró con tristeza y seducción a la vez—. Lo que ocurre es que ya no te gusto.

—¡No, no, claro que no es eso! Yo...

—No te gusto. —Hizo un puchero—. Si te gustara, no actuarías así.

—¡Te he dicho que no puedo seguir haciéndolo! Yo... yo... —Vio la burla disimulada en sus ojos—. ¡Muy bien! —gruñó—. Ríete de mí, pero no vas a conseguir que siga siendo un ladrón. No eres más que una pequeña y barata...

—¿Barata, Charles? Vaya, yo no creía que fuera tan barata.

—No tengo nada más que añadir —dijo con firmeza—. O me pagas antes de las cinco o te vas, ¡y me quedaré con todo lo que tienes!

Se alejó con pasos exageradamente largos y una especie de furtiva indignación. Con indiferencia, Moira se encogió de hombros y tomó su copa. «Siempre de víctima —se dijo a sí misma—. Dejad ya de fastidiarme la fiesta, hombres».

Pidió la cuenta y apuntó un dólar extra de propina para el camarero. Mientras él asentía elegantemente retirando hacia atrás su silla, le dijo que también él podía aprender a bailar.

—Todo lo que necesitas es el paso mágico —dijo—. Es tan sencillo como el abecedario.

Él sonrió educadamente. Las bromas en un sitio como aquel no eran extrañas.

—¿Le apetece un café antes de irse, señorita Langtry?

—No, gracias —sonrió Moira—. Las copas estaban muy buenas, Allen.

Salió del restaurante y atravesó el vestíbulo. Tomó el coche y se dirigió al distrito comercial del centro de la ciudad.

Bien mirado, había vivido bastante económicamente desde su

llegada a Los Ángeles. Económicamente en cuanto a su dinero se refería. De la pasta con la que se había largado de Saint Louis aún le quedaban varios miles de dólares, más, por supuesto, ciertos artículos fácilmente negociables, como el coche, las joyas y las pieles. Pero últimamente tenía una corazonada: su vida allí tocaba a su fin, era hora de cobrar lo que pudiera y donde pudiera.

Odiaba marcharse de la ciudad; particularmente odiaba la idea de tener que dejar a Roy Dillon. Pero no necesariamente tenía que ser así, y si lo era, bueno, sencillamente no tenía solución. Había que hacer caso de las corazonadas. Uno hacía lo que tenía que hacer.

Al llegar al centro dejó el coche en un aparcamiento privado. Era propiedad de una de las joyerías de más clase, que había frecuentado como compradora y como vendedora, aunque principalmente lo último. El portero se tocó el sombrero con una mano y abrió las puertas de vidrio para que entrara. Uno de los directivos más jóvenes salió a su encuentro, sonriente.

—¡Señorita Langtry, es un placer volver a verla! Dígame, ¿en qué podemos servirle hoy?

Moira se lo dijo. Él asintió gravemente y la condujo a una pequeña oficina privada. Tras cerrar la puerta, la ayudó a acomodarse en su asiento y se sentó al otro lado del despacho.

Moira sacó un brazalete de su bolso y se lo tendió. Los ojos del hombre se abrieron apreciativamente.

—Exquisito —murmuró alargando el brazo para coger una lupa—. Un excelente trabajo. Ahora, veamos...

Moira lo observaba mientras encendía una pequeña lamparilla y daba vueltas al brazalete entre sus fuertes y aseadas manos. La había atendido en varias ocasiones. No era atractivo, sino más bien feo. Pero le gustaba, y sabía que él se sentía enormemente atraído por ella.

Dejó que la lupa cayera de su ojo y movió la cabeza en actitud de sincero pesar.

—No lo entiendo —dijo—. Es algo que se ve en contadas ocasiones.

—¿Qué quiere decir? —Moira frunció el ceño.

—Quiero decir que es uno de los mejores trabajos en platino que haya visto jamás, prácticamente una obra de arte. Pero las piedras no. No son diamantes, señorita Langtry; una excelente imitación, pero imitación a fin de cuentas.

Moira no podía creerlo. Cole había pagado cuatro mil dólares por aquel brazalete.

—¡Pero tienen que ser diamantes! ¡Cortan el cristal!

—Señorita Langtry —sonrió irónicamente—, el cristal corta el cristal. Casi todo lo corta. Deje que le muestre una prueba irrefutable de que no son diamantes.

Le acercó la lupa y sacó un cuentagotas del escritorio. Con mucho cuidado vertió una cantidad minúscula de agua sobre las piedras.

—¿Ve como el agua las salpica y resbala formando una capa? Con los diamantes esto no sucede. El agua se adhiere a la superficie formando gotas diminutas.

Moira asintió y se quitó la lupa del ojo.

—¿Por casualidad sabe dónde lo compraron, señorita Langtry? Seguro que le devolverán el dinero.

No lo sabía. Seguramente cuando Cole lo compró ya sabía que era una imitación.

—Entonces ¿para usted no tiene valor?

—Bueno, sí —dijo cariñoso—. Puedo ofrecerle..., no sé, ¿quinientos dólares?

—Perfecto, si puede extenderme un cheque, por favor.

El joyero pidió permiso para ausentarse unos minutos. Regresó con el cheque, lo metió en un sobre y volvió a sentarse.

—En fin —dijo—, espero que no la hayamos decepcionado. Confío en que nos dé otra oportunidad de servirla.

Moira dudó. Echó un vistazo rápido a la placa de su escritorio: SEÑOR CARTER. La tienda se llamaba Carter's. ¿Acaso era el hijo del dueño?

—Debería habérselo mencionado antes, señorita Langtry. Con clientes a los que apreciamos como usted tenemos la deferencia de visitarlos en su casa. No es necesario que venga a la tienda. Si hay algo que cree que pueda interesarnos...

—Solo tengo una cosa, señor Carter. —Moira lo miró muy seria—. ¿Le interesa?

—Bueno, antes tendría que verlo, claro. Pero...

—Ya lo está viendo, señor Carter. Lo tiene delante de usted.

El hombre se quedó perplejo. Después su expresión imitó la que había mostrado mientras examinaba el brazalete.

—¿Sabe una cosa, señorita Langtry? Muy pocas veces nos topamos con un brazalete como el que acaba de vendernos. Las filigranas y el trabajo minucioso suelen indicar que se trata de piedras preciosas. Lamento mucho cuando descubro que no es así. Siempre espero... —levantó la vista— ... equivocarme.

Moira sonrió. Cada vez le gustaba más.

—En ese caso —dijo ella—, creo que debo decir ¡ay!

—Dígalo por los dos, señora Langtry. —Se echó a reír—. Esta es una de esas ocasiones en las que casi desearía no estar casado. Casi.

Fueron juntos hasta la entrada, la encantadora mujer vestida con elegancia y el joven aseado y con aspecto casero. Mientras se despedía, el joyero le tomó la mano un instante.

—Espero que sus problemas se solucionen, señorita Langtry. Ojalá pudiera haberla ayudado.

—No se preocupe —contestó Moira—. Está en el equipo de los buenos.

Le había entrado mucha hambre, así que tomó una ensalada y un café en un restaurante de comida rápida. Después volvió a casa.

El administrador la buscaba, y en cuanto entró en su piso, el hombre empezó a aporrear la puerta. De manera cortante le arrojó la factura detallada a la cara. Moira la analizó. De vez en cuando arqueaba las cejas.

—Mucho dinero, Charles —murmuró—. No la habrás inflado un poco, ¿verdad?

—¡No me hables así! Me debes todos los putos centavos de esa cuenta, y lo sabes. ¡Y por esta que vas a pagarlos!

—A lo mejor tu mujer me presta el dinero, ¿qué te parece, Charles? O tal vez tus hijos quieran romper la hucha para ayudarme.

—¡No los metas en esto! Si te acercas a mi familia, te... te... —Su voz se quebró hasta convertirse en una súplica—. No harías algo así, ¿verdad, Moira?

Moira lo observó con desgana.

—Bueno, ¡no hace falta que te mees encima! Ya puedes ponerle el sello de pagada, que enseguida te daré el dinero.

Se dio la vuelta repentinamente y entró en el dormitorio. Abrió el monedero y sacó un fajo de billetes, que arrojó en el tocador. Luego, mientras se desvestía con pericia para quedarse en un picardías negro transparente, relajó las facciones del rostro y se echó a reír.

Entre risas ahogadas, se tumbó en la cama, provocativa.

A menudo le entraban ataques de euforia. Cuando se hallaba ante una faceta incómoda del presente, obligaba a su mente a olvidarla y dejaba que vagase errante hasta posarse sobre alguna paradoja ridícula. Y entonces, sin motivo aparente, se reía.

Sus carcajadas comenzaron a ser audibles, y Grable, receloso, la llamó desde detrás de la puerta.

—¿Qué estás tramando, Moira? ¿De qué te ríes?

—No lo entenderías, Charlie; solo de un pequeño detalle del menú de la comida. Vamos, entra.

Entró. La miró y tragó saliva. Exasperadamente apartó la vista de ella.

—Quiero... quiero ese dinero, Moira. ¡Lo quiero ahora!

—Bueno, pues ahí está. —El negligé se abrió al balancear su desnudo pie para señalar la cómoda—. Ahí está el dinero, y aquí la pequeña Moira.

Se adelantó hasta el mueble. Justo antes de llegar sus pies vacilaron y se volvió lentamente.

—Moira, yo... yo... —La contempló tragando saliva de nuevo, lamiendo la saliva de las comisuras de sus labios infantiles. Y entonces ya no pudo apartar los ojos.

Moira se contempló a sí misma siguiendo el curso de la mirada de él.

—El embrague es automático, Charles —susurró—. Viene con la tapicería de lujo y la parcela alambrada de alto voltaje.

Dio una carrerilla hacia ella. Se detuvo extendiendo su mano en desdichada súplica.

—¡Por favor, Moira! ¡Por favor, por favor! ¡He sido bueno contigo! He dejado que te quedases mes tras mes, y... podrías, ¿no podrías solo...?

Moira le dijo que ni hablar, que no podía ser. Todos los pasajeros debían pagar a la entrada y no se admitían pases ni rebajas.

—Es una norma estricta de la Comisión para el Comercio Sexual, Charles. Todos los usuarios deben cumplirla.

—¡Por favor! ¡No seas así! ¡Vamos, no seas así! —Al borde del sollozo se dejó caer de rodillas al lado de su cama—. ¡Oh, Dios, Dios, Dios! ¡No me hagas...!

—Solo una opción para el cliente —dijo con firmeza—. La dama o el botín. Así que... ¿qué va a ser? —Cuando se abalanzó sobre ella añadió—: Como si no lo supiera.

Permaneció allí tendida mirando por encima de su hombro, intentando borrar su jadeante y penetrante presencia, haciendo un esfuerzo mental por trasladar sus pensamientos hasta Roy Dillon.

Su última tarde juntos en el hotel. ¿Por qué aquella repentina hemorragia, un tipo joven con un estómago que parecía sólido?

¿Qué podía habérsela causado? ¿Era real? ¿Podía tratarse de alguna maquinación de su madre para separarlos?

¡Sí, tenía toda la pinta de ser una maquinadora nata!, ¡toda la pinta! Saltaba a la vista que era más retorcida que un tornillo y el doble de dura. Cualquiera con dos dedos de frente podía darse cuenta de ello. Además, estaba montada en el dólar y...

Moira no quería pensar en ella, ¡bruja creída! ¡En todo menos en ella! ¡Qué bien poder darle su merecido!, pero...

Levantó los ojos hacia el techo. ¡Vaya un sujeto que tenía encima!, ¡qué sujeto más repulsivo! La colonia y los potingues para el pelo que llevaba encima le debían haber costado más de cuarenta dólares, pero no se le notaba para nada. Era como si estuviera envuelto en ello; como un trozo de carne envuelta en papel de regalo, y cuando lo abrías...

—¡Jaaa! —Apretó los labios rápidamente, sus mejillas alteradas por la risa contenida. Intentó apartar su mente de la causa, de aquel loco menú. Pero no podía y de nuevo se agitó de risa.

—¿Qué coño pasa? —se quejó Grable—. ¿Cómo puedes reírte en medio de...?

—Nada. No importa, Charles. Solo, solo, ah, ja, ja, ja, ja, lo siento, pero... ah, ja, ja, ja, ja...

«Menú especial comida. Tomate de invernadero a la parrilla cubierto de una generosa loncha de queso curado».

12

El apartamento de Lilly Dillon se encontraba en el último piso de un edificio en Sunset Strip, a pocas manzanas al este de los límites de Beverly Hills. Lo había alquilado amueblado y consistía en un dormitorio, baño, aseo, cocina, salón y un estudio. En este último, situado al fondo del edificio, habían colocado una cama de hospital para Roy. Aquel día estaba allí descansando en la cama, ataviado con pijama y bata, con la cabeza erguida de modo que podía contemplar la ilimitada superficie de campos petrolíferos, el océano y varios pueblos de la costa.

Se sentía perezoso y cómodo. Se sentía intranquilo y culpable. Era su tercera semana fuera del hospital. Estaba completamente recuperado y no existía ninguna excusa válida para que permaneciera allí. Y, sin embargo, demoraba su marcha. Lilly quería que así fuera. Los médicos lo animaban pasivamente a que lo hiciera viendo en su prolongada convalecencia un amplio margen de seguridad.

Los vasos herniados de su estómago podían volver a abrirse si las circunstancias lo propiciaban. Podían herniarse de nuevo. Por todo ello, si deseaba permanecer completamente inactivo y a salvo del mínimo riesgo, a los médicos les parecía acertado.

Aparte de Lilly y el tema de su salud, Roy tenía otra razón para quedarse, una razón que lo hacía sentir culpable, pero que no quería admitir. Ella, Carol Roberg, se encontraba en la cocina fregando los platos de la comida y sin duda preparando algún postre para ambos. A él no le apetecía, había engordado casi cuatro kilos en las últimas dos semanas, pero sabía que a ella sí. Y por nada del mundo se lo habría impedido.

Carol era muy delicada con la comida, como con todo lo demás. Pero nunca había visto a nadie que pudiera zamparse tanta comida a tanta velocidad como Carol.

Se preguntaba el porqué de su insaciable apetito, aunque eso era lo único que le intrigaba de ella. La mayoría de las mujeres que conocía parecían no tener apetito jamás. Moira, por ejemplo...

Moira...

Se revolvió nervioso al recordar su visita de aquella mañana. Le había dicho el día anterior en una conversación telefónica en voz baja que Lilly se iría muy temprano del apartamento aquella mañana y que podía dejarse caer. Había venido, se había mostrado sorprendida cuando vio a Carol y le había lanzado una mirada interrogante.

Carol se sentó con ellos en el salón. Al parecer, pensaba que era de personas educadas hacerlo, pues intentó entablar conversación hablando del tiempo y de los acostumbrados tópicos rutinarios. Después de lo que a Roy le pareció la media hora más larga de su historia se disculpó y se fue a la cocina. Moira se volvió hacia él con los labios fruncidos.

—He intentado que se fuera —explicó Roy con impotencia—. Le dije que se tomara el día libre.

—¿Has intentado? Si se tratara de mí, te limitarías a pedirme que me largara.

—Lo siento —dijo—. Deseaba tanto como tú que estuviéramos solos.

Echó un rápido vistazo por encima de su hombro, después se bajó de la cama y acercándose a su silla la tomó en sus brazos. Ella aceptó el beso, pero no respondió. La besó de nuevo deslizando sus manos por su cuerpo, recorriendo sus suaves y apetecibles curvas. Tras semanas de forzosa continencia y la constante tentación que Carol representaba, deseaba a Moira más que nunca. Pero ella se apartó bruscamente.

—¿Cuánto tiempo más piensas quedarte aquí? —le preguntó—. ¿Cuándo regresas a tu hotel?

—Bueno, no lo sé exactamente. Me imagino que volveré muy pronto.

—No tienes demasiada prisa, ¿eh? Te gusta este sitio.

Roy le respondió, irritado, que no tenía quejas. Lo cuidaban bien, mucho mejor de lo que lo harían en un hotel, y Lilly deseaba que se quedara.

—Mmm, apuesto a que sí, ¡y apuesto además a que sí te cuidan bien!

—¿Qué quieres decir?

—¿Bromeas? ¡He observado cómo miras a esa enfermera bobalicona! ¡O has perdido el seso o crees que es demasiado buena para tirártela! ¡Ella lo es, pero yo no!

—Oh, por el amor de Dios... —Enrojeció—. Mira, siento lo de hoy. Si hubiera existido algún modo de librarme de ella sin herir sus sentimientos...

—Naturalmente, eso no podías hacerlo. ¡Claro que no!

—Digamos solo que no lo haría —dijo cansado de disculparse una y otra vez.

—Bueno, olvídalo. —Recogió sus guantes y se puso en pie—. Si a ti te parece bien, a mí también.

La siguió hasta el vestíbulo intentando zanjar la desavenencia sin suavizarla demasiado; queriéndola, deseándola más que nunca, pero cauteloso ante cualquier intento de convencerla.

—Me iré de aquí un día de estos —le aseguró—. Puede que yo esté mucho más ansioso que tú.

—Bien... —Le sonrió tanteando, sus oscuros ojos buscando su rostro—. No estoy muy segura de eso.

—Ya verás. Tal vez podamos ir a La Jolla este fin de semana.

—¿Solo tal vez?

—Es prácticamente seguro —dijo él—. Te llamaré por teléfono, ¿vale?

Así que había arreglado las cosas, al menos por un tiempo y hasta cierto punto. Pero no había obtenido nada a cambio, nada aparte de eso y un deseo insatisfecho que se agitaba en su interior implacablemente. Algo tenía que hacer, se dijo a sí mismo. Con la presencia de Moira aún fresca en su memoria, con Carol tan fácilmente accesible...

Carol. Se preguntó lo que iba a hacer con ella, si debería hacer algo con ella. Tenía un aspecto absolutamente virginal y si realmente lo era, seguiría siéndolo, así permanecería por lo que a él se refería. Pero las apariencias engañan, y a veces, cuando consentía que la besara y se abrazaba a él por un instante, bueno, no estaba tan seguro de su condición real. De hecho, casi podía afirmar que se había equivocado al juzgarla.

Y si ese era el caso, por supuesto...

Carol regresó de la cocina con dos vasos repletos de helado. Aceptó uno de ellos y ella se sentó con el otro. Sonriendo, observó cómo lo engullía. Le apetecía tomarla en sus brazos y darle un fuerte achuchón.

—¿Bueno? —dijo.

—¡Genial! —exclamó entusiasmada. A continuación levantó sus ojos hacia él y se ruborizó tímidamente—. ¡Me paso el día comiendo! Debes de pensar que soy una cerdita, ¿no?

Roy se rio.

—Si hacen cerditos como tú, me pondré a criarlos. ¿Qué tal si te comes el mío también?

—Pero es tuyo. ¡Ya no puedo comer más!

—Claro que puedes —le dijo posando ambas piernas en el suelo—. ¿Puedes venir al dormitorio cuando termines?

—Iré ahora. Te apetece un masaje, ¿no?

—No, no —replicó rápidamente—. No hay prisa; primero termínate tu helado.

Cruzó el salón enmoquetado y entró en el dormitorio. Dudó un buen rato, casi decidido a no ir más allá mientras todavía estuviera a tiempo. Después, rápidamente, antes de que pudiera cambiar de opinión, se quitó la bata y la camisa del pijama y se tendió sobre la cama.

Carol llegó apenas un par de minutos más tarde. Cuando hizo el gesto de ir al baño a buscar el aceite, él extendió su brazo hacia ella.

—Ven aquí, Carol. Quiero preguntarte algo.

Ella asintió y se sentó al borde de la cama. Él la atrajo hacia sí y acercó su rostro al de ella; y entonces, mientras sus labios se unían, comenzó a impulsarla sobre la cama.

Nerviosa, con el cuerpo repentinamente rígido, intentó separarse de él.

—¡Oh, no! Por favor, Roy. Yo... yo...

—Está bien. Quiero preguntarte algo, Carol. ¿Me dirás la verdad?

—Bueno. —Intentó esbozar una sonrisa—. ¿Es algo realmente importante para ti? ¿O tal vez intentas tomarme el pelo de nuevo? ¿Es eso?

—Es algo muy importante para mí —aclaró él—. ¿Eres virgen, Carol?

Su sonrisa se desvaneció bruscamente y por un instante perdió toda expresividad. Luego un vestigio de color volvió a asomarse y sus ojos contemplaron el suelo. Negó con la cabeza casi de modo imperceptible.

—No, no soy virgen.

—¿No lo eres? —Se sentía ligeramente decepcionado.

—No, no lo soy. Aunque no creas que lo he hecho muchas veces. —Bajo la firmeza aparente, su voz temblaba ligeramente—. Y ahora ya no te gusto.

—¿Que no me gustas? Pues claro que me gustas. ¡Me gustas más que nunca!

—Pero... —Sonrió inquieta y comenzó a experimentar una sensación de jubilosa incredulidad—. ¿Lo dices en serio? No estarás intentando tomarme el pelo sobre algo tan importante, ¿verdad?

—¿Qué tiene de importante? Venga, vamos, cielo.

Riéndose alegremente, permitió que la impulsara sobre él, abrazándolo con alegre asombro. ¡Oh, Dios qué feliz era! ¡Era tan feliz...! Y después, sin resistencia alguna, rebosante de felicidad, le soltó:

—Pero... ¿No deberíamos esperar, Roy? ¿No te gustaría más después?

—¡No podrías gustarme más ahora! —Él tiró con impaciencia de su blanco uniforme—. ¿Cómo demonios se quita este maldito chisme?

—Pero hay una cosa más que tienes que saber. Tienes todo el derecho del mundo a saberlo. Yo... yo no puedo tener niños, Roy. Nunca.

Aquello lo detuvo, lo hizo dudar, pero solo un segundo. Tenía un modo muy poco elegante de expresar las cosas, retorciéndolas y marcando énfasis en los puntos poco oportunos. Así que no podía tener hijos. Bueno, tanto mejor, aunque él se hubiera cuidado de eso de todos modos.

—¿A quién le importa? —le dijo casi furioso de deseo—. No importa, ni tampoco que no seas virgen. Ahora, por el amor de Dios, deja de hablar y...

—¡Sí! ¡Oh, sí, Roy! —Se abrazó a él totalmente rendida, guiando sus inquietas manos—. Además, quiero lo mismo. Y es tu derecho...

El uniforme se deslizó por su cuerpo, y luego la ropa interior; la innata modestia, los temores, el pasado. En la semioscuridad de las cortinas de la habitación, ella renació y ya no existía pasado sino solo futuro.

La marca purpúrea todavía permanecía a lo largo de su brazo

izquierdo, pero con el paso del tiempo se había convertido meramente en una cicatriz de la niñez; enfriada por el tiempo, reducida por el crecimiento. No importaba. Lo grabado en su memoria no importaba, la esterilización, la pérdida de la virginidad, porque él había dicho que no importaba. Así que todo ello había dejado de tener sentido: la indeleble marca tatuada en el campo de concentración de Dachau.

13

Un poco avergonzada, salió del baño con la ropa interior puesta; aún ruborizada y ardiente, y rebosante. Remilgadamente maternal, extendió la sábana y la dobló sobre su pecho.

—Debo cuidarte —dijo—. Ahora más que nunca. Eres lo más importante que tengo.

Roy le sonrió perezosamente. Era dulce, un pedazo de mujer, pensó. Y seguramente la más honesta que había conocido. Si no le hubiera dicho que no era virgen...

—¿Te encuentras bien, Roy? ¿No te duele nada?

—Nunca me he sentido mejor en mi vida. —Se rio—. Y no es que antes me encontrara mal.

—Eso es bueno. Sería terrible si te hubiera lastimado.

Le repitió que se encontraba bien; ella era justo lo que necesitaba. Carol le dijo muy seria que también ella lo necesitaba, y él se rio de nuevo guiñándole un ojo.

—Te creo, cielo. Por cierto, ¿cuánto tiempo hacía..., o no debería preguntar?

—¿Cuánto? —Frunció el ceño ligeramente, la cabeza ladeada en señal de sorpresa—. Oh. Bien, hace...

—No importa —contestó él rápidamente—. Olvídalo.

—Fue allí. —Extendió su brazo tatuado—. También allí me hicieron estéril.

—¿Allí? —Frunció el ceño—. No... ¿A qué te refieres?

Se lo explicó como ausente, con la sonrisa fija. Sus ojos rasgados lo miraban, atravesándolo, mirando más allá de él. Al parecer, hablaba en abstracto, un confuso y poco sólido teorema apenas merecedor de ser narrado. Parecía sacado de un cuento de hadas, algo tan repleto de terrores que se solapaban uno con el otro, como estancados, no anticipando jamás la trama o tema, físicamente inmóviles, solamente horror sobre horror hasta que por su peso se hundían muy lentamente, ahogando con ellos al oyente.

—Sí, sí, eso es. —Le sonrió como quien sonríe a un niño precoz—. Sí, era muy joven, siete u ocho, creo. Ese era el motivo, ¿sabes? Descubrir la edad más temprana a la que una mujer puede concebir. Puede pasar a una edad muy temprana, como a los cinco, creo. Pero se buscaba la edad media mínima. Con mi madre y mi abuela era justo al revés, quiero decir que experimentaban a qué edad máxima podía suceder. Mi abuela murió muy poco después del comienzo del experimento, pero mi madre...

Roy tenía ganas de vomitar. Sentía deseos de sacudirla, de golpearla. Mirándose desde fuera, como ella misma hacía, se sentía furioso. Subjetivamente, sus opiniones no eran demasiado diferentes de las filosofadas habituales, de las cosas que se oían y se leían y se veían por todos sitios. El pío luto del pecado, la jubilosa absolución de los pecadores, las incómodas miradas recelosas y desaprobadoras hacia aquellos que recordaban los crímenes cometidos. Después de todo, los que antaño fueron amigos, pobres tipos, volvían a serlo ahora y resultaba de mal gusto enseñar cámaras de gas por televisión. Después de todo, no se podía condenar a todo un pueblo, ¿verdad? ¿Y qué si eso era exactamente lo que ellos habían hecho? ¿Se iba a volver a cometer el mismo deplorable error? Después de todo, ellos odiaban a los rojos tanto como nosotros los estadounidenses, ansiaban acabar hasta con el último apestoso rojo en el mundo. Y después de todo, aquella gente, contra los que según se afirma se había cometido el pecado, se lo habían buscado.

Era su propia culpa.

Era culpa de «ella».

—Ahora escúchame —la interrumpió enfadado—. ¡No, no quiero seguir escuchando nada más, joder! Si me lo hubieras contado antes en vez de decirme solamente, en vez de dejarme creer que... que...

—Lo sé —dijo ella—. Ha estado muy mal por mi parte. Pero yo tampoco me esperaba esto.

—Bueno, vale —murmuró—. No quiero que te sientas culpable. Me gustas; tengo un altísimo concepto de ti, Carol. Por eso te pregunté lo que te pregunté y te dije lo importante que era para mí. Ahora me doy cuenta de que has podido interpretarlo mal y desearía de todo corazón que hubiera algo que yo pudiera hacer para arreglarlo. Pero...

Pero ¿por qué continuaba mirándolo de ese modo, sonriéndole con aquella estúpida sonrisa, esperando que él llenara el vacío de su vida? Ya le había dicho que lo sentía, se había disculpado por algo que en parte era culpa suya. Pero todavía estaba allí sentada, esperando. ¿Pensaba en serio que él iba a renunciar a su vida, al único modo de vida aceptable para él, simplemente para corregir un error? Pues bien, ¡ella no tenía derecho! Aunque pudiera darle lo que ella había esperado, y al parecer aún deseaba, no iba a hacerlo.

Era una buena chica, no sería justo para ella.

—Bueno, te diré qué vamos a hacer —propuso con una sonrisa para congraciarse con ella—. Ya no podemos cambiar lo que ha sucedido, así que ¿por qué no hacemos como que no ha ocurrido? ¿Qué te parece? ¿Vale? ¿Lo olvidamos y volvemos a empezar?

Ella lo miraba en silencio.

—Perfecto —concluyó Roy enérgicamente—. ¡Esa es mi dulce chica! Y ahora voy a largarme de aquí para que puedas terminar de vestirte y... y..., bueno...

Se marchó enfundándose la bata mientras salía de la habitación. Al llegar al estudio se tendió en la cama de hospital. Contempló, taciturno, el paisaje orientado al sur sin dejar de imaginarse a la chica en la habitación. Había planteado muy mal las cosas, supuso. Su labia habitual le había fallado justo cuando más la necesitaba, y había dado la impresión de ser impaciente y hasta ridículo.

¿Qué le había ocurrido?, se preguntaba. ¿Qué había salido mal en su jugada?

Había sido un error honesto. Ella no había perdido nada por su culpa. ¿Por qué no podía hacérselo comprender? ¿Por qué, cuando le resultaba tan fácil ejecutar una estafa auténtica sin contragolpes?

«No se le pueden hacer trampas a un hombre honesto», pensó. Y se sintió infundadamente irritado por la idea.

La oyó acercarse, el crujir de su uniforme almidonado. Imponiéndose una sonrisa, se irguió y se volvió.

Ella llevaba su abrigo y su pequeño botiquín de enfermera.

—Me voy —anunció—. ¿Necesitas algo antes de que me vaya?

—¡¿Que te vas?! Pero... oh, bueno, escucha —dijo en tono complaciente—. No puedes hacer eso, lo sabes. No sería profesional; una enfermera no puede dejar plantado a su paciente.

—Tú no necesitas enfermera, ambos lo sabemos. En cualquier caso, ya he dejado de trabajar como enfermera para ti.

—Pero... pero, maldita sea, Carol...

Ella se volvió y se dirigió hacia la puerta. La siguió con la mirada, impotente por un instante, la alcanzó y la volvió hacia sí.

—Mira, no voy a permitir que te vayas —dijo—. No hay razón para ello. Necesitas el trabajo, y ambos, mi madre y yo, queremos que sigas. Mira...

—Por favor, deja que me vaya. —Se apartó de él avanzando de nuevo hacia la puerta.

Roy le cerró el paso apresuradamente.

—No lo hagas —le suplicó—. Si estás resentida conmigo, vale; tal vez creas que tienes derecho a estarlo. Pero también mi madre está mezclada en esto. ¿Qué va a pensar? Quiero decir, ¿qué voy a decirle cuando llegue a casa y se entere de que tú...? —Se interrumpió y enrojeció al darse cuenta de que parecía temer a Lilly. Un espectro de sonrisa rozó los labios de Carol.

—Tu madre se disgustará —dijo ella—, pero no se sorprenderá. Creía que tu madre no te entendía, pero ahora me doy cuenta de que sí.

Roy apartó la vista de ella... Le contestó bruscamente que eso no era en absoluto lo que él quería decir.

—Debes cobrar algo, tu sueldo. Si me dices cuánto...

—Nada. Tu madre me pagó anoche.

—Muy bien, pero todavía queda hoy.

—Por hoy no se me debe nada. No he dado nada de valor —respondió.

Roy exhaló un enfurecido gruñido.

—Deja de comportarte como una cría de dos años, ¿vale? Se te debe dinero, ¡y por Dios que lo vas a cobrar! —Extrajo bruscamente la cartera del bolsillo de su bata y vaciando su contenido se lo tendió.

—Muy bien, ¿cuánto? ¿Qué te debo por hoy?

Ella bajó su mirada hacia el dinero. Delicadamente, separando los billetes con un dedo, seleccionó tres, que levantó en su mano.

—Tres dólares, ¿sí? Según creo, ese es el precio normal.

—Parece que estás muy bien informada —dijo él enfurecido—. Ah, Carol, mira...

—Gracias. Esto ya es demasiado.

Se volvió y, atravesando la moqueta, salió por la puerta.

Roy levantó ambos brazos al cielo en señal de impotencia e inmediatamente los dejó caer. Ahí quedaba eso. No se podía arreglar un mal rollo con otro.

Entró en la cocina, calentó un poco de café y se lo bebió de pie. Tras lavar la taza miró el reloj que había sobre la cocina.

Lilly llegaría en pocas horas. Tenía que hacer algo antes. Eso no iba a arreglar el asunto de Carol y además tenía que hacerlo por su propio bien.

Se vistió y bajó a la calle sintiéndose un poco débil. No porque algo fuera mal, sino por su larga inactividad. Tomó un taxi y cuando llegó a su hotel, ya se sentía tan fuerte como de costumbre.

La recepción que tuvo en el hotel lo incomodó. Por supuesto que siempre había intentado caer simpático; era parte esencial de su tapadera. Sin embargo, se sintió un poco desconcertado por la bienvenida a casa (¡casa!) protagonizada por Simms y el resto de los empleados. Se alegró de no tener que darles un plantón, abandonar el barco y dejarlos sin remos, como solía dejar a la gente que se preocupaba demasiado por él.

Aturdido, aceptó sus felicitaciones por la recuperación, tranquilizándolos en cuanto al presente estado de su salud. Estuvo de acuerdo con Simms en que la enfermedad llama a la puerta de todos los hombres, siempre de modo inconveniente e inesperado, y que eso era ley de vida.

Por fin pudo huir a su habitación.

Extrajo tres mil dólares de uno de los cuadros de payasos. Después, tras volver a colgarlo cuidadosamente en la pared, salió del hotel y regresó al apartamento de Lilly.

La ausencia de Carol producía una extraña sensación de vacío en el apartamento, como suele ocurrir cuando un familiar ya no está donde solía estar. Se produce una extraña sensación de anormalidad, de que algo va mal. Queda un hueco que clama ser llenado, y la única cosa que puede llenarlo no lo hará.

Vagando intranquilo de habitación en habitación, trataba de escucharla, trataba de verla en su mente. Podía verla en todos los sitios, aquella figurita de rígido almidonado, aquel pelo liso rizado en las puntas, aquel rostro entre rosado y blanquecino, aquellas pequeñas y limpias facciones respingonas cual inocencia infantil. Podía escuchar su voz en todos los rincones; y él siempre aparecía en su conversación... ¿Necesitaba algo? ¿Había algo que pudiera hacer por él? ¿Se encontraba bien? Si quería algo, solo tenía que decírselo.

«¿Te encuentras bien, Roy? Sería terrible si te hubiera lastimado».

Avanzó hacia el baño y se detuvo en la puerta. Había una toalla colgada sobre el lavabo, restregada, escurrida y colgada a secar, pero todavía ligeramente empapada del color amarillento de sangre lavada.

Roy tragó saliva dolorosamente. A continuación la tiró en un cesto y cerró la tapa bruscamente.

Las largas horas transcurrieron muy lentamente, horas que hasta aquel día siempre le habían parecido cortas.

Poco después del crepúsculo Lilly regresó.

Como de costumbre, dejó los problemas fuera. Entró luciendo una expectante sonrisa.

—¡Vaya, pero si estás vestido! Qué bien —dijo—. ¿Dónde está mi chica, Carol?

—No está aquí —repuso Roy—. Ella...

—Ah, bueno, imagino que llego un poco tarde, y por supuesto tú te encuentras bien. —Se sentó mientras se abanicaba con una mano—. ¡Ha sido ese maldito tráfico! Iría más rápido a la pata coja que en coche.

Roy dudaba. Quería decírselo, pero buscaba cualquier cosa que pudiera retardarlo.

—¿Cómo va tu mano, la quemadura?

—Bien. —La balanceó descuidadamente—. Parece que estoy marcada de por vida, pero al menos me ha aprendido... enseñado algo. Aléjate de los gilipollas con cigarros.

—Creo que te la deberías vendar.

—No puede ser. Tengo que meterla y sacarla del bolso continuamente. En fin, ya va mejorando.

Cambió de tema despreocupadamente, complacida pero a la

vez violenta ante su desacostumbrada preocupación. Cuando se quedaron en silencio, sacó un cigarrillo del bolso. Sonrió alegremente cuando Roy se apresuró a darle fuego.

—Hey, vaya, parece que por aquí se preocupan por mí, ¿no? Un poco más y... ¿Qué es esto?

Miró el dinero que él había lanzado sobre su regazo. Con gesto asombrado, arqueó las cejas.

—Tres mil dólares —explicó él—. Espero que sea bastante para liquidar nuestras cuentas con lo del hospital y todo lo demás.

—Bueno, claro. Pero no puedes... Oh —dijo en tono hastiado—. Supongo que sí puedes, ¿me equivoco? Pensaba que ibas a jugar limpio, pero supongo...

—Sabías que no iba a consentirlo —asintió Roy—. Y ahora hay algo más que debes saber. Sobre Carol.

14

Desde Sunset Strip, un sordo clamor en aumento ascendía flotando hasta el apartamento de Lilly, el ruido de la hora de la cena y los primeros albores de los clubes nocturnos. Anteriormente, desde las cuatro hasta las siete más o menos, se había oído el jaleo del tráfico comercial: pesados camiones y camionetas más ligeras haciendo los últimos repartos de la jornada para después alejarse de la ciudad; utilitarios acelerando y derrapando y maniobrando para salir en enjambre en dirección a sus casas de Brentwood, Bel Air y Beverly Hills. Los coches eran de todas las clases y tamaños, aunque podía verse gran cantidad —por momentos clara mayoría— de marcas de primera categoría. En cierta ocasión, atrapado en medio del tráfico de Sunset Strip, Roy había examinado los coches que le rodeaban y, excepto por un par de motocicletas y un Ford, hasta donde le llegaba la vista no había visto más que Cadillacs, Rolls-Royces, Lincolns e Imperials.

Ahora, escuchando los latidos de la noche, Roy deseaba encontrarse allí abajo, o en cualquier sitio menos donde estaba. Le había contado a Lilly lo de Carol tan rápido como le fue posible, deseoso de zanjarlo. Pero a grandes rasgos seguramente sonaba peor que en detalle. Había sentido la necesidad de volver a empezar su narración, de explicar exactamente lo que le había conducido a aquello. Pero habría empeorado el asunto, dando la impresión de que se las estaba dando de un honrado aunque mundano joven a quien la deliberada estupidez de una chica lo había colocado en una situación embarazosa.

Supuso que, sencillamente, no se podía contar la historia de un modo razonable. No se podía aunque Lilly no fuera precisamente una mojigata y nunca en su vida hubiera desempeñado el papel de madre, tal como él lo veía.

El bolso de Lilly se cayó al suelo produciendo un golpe seco. En un impulso, Roy se agachó a recogerlo, retrocediendo incómodamente en su intento al observar lo que se había desprendido de su interior: una pequeña pistola con silenciador.

Lilly la cogió. Se levantó sopesándola en su mano de modo ausente. Después, al ver la expresión de inquietud en el rostro de Roy, su boca se torció para esbozar una irónica sonrisa.

—Tranquilo, Roy. Es una tentación, lo admito, pero me arriesgaría a perder la licencia de armas.

—Bueno, por nada del mundo quisiera que eso te sucediera —respondió Roy—. Y mucho menos después de todas las molestias que te he causado.

—Oh, vamos, no deberías sentirte así —dijo Lilly—. Ya has pagado tu cuenta, ¿no es así? Me has escupido el dinero como si ya no estuviese de moda. Te has explicado y te has disculpado; en realidad no has hecho nada que tengas que explicar o que exija disculpas, ¿no? He sido una estúpida. Ella ha sido una estúpida, estúpida como para amarte y confiar en ti, y para interpretar por el lado bueno lo que has dicho y has hecho. Hemos sido unas tontas, con otras palabras, y es tarea del estafador encargarse de los tontos.

—Piensa lo que te dé la gana —cortó Roy malhumorado—. Me he disculpado, he hecho todo lo que he podido. Pero si vas a ponerte grosera...

—Pero si yo siempre he sido una grosera, ¿no? Siempre te he hecho pasar malos ratos. No había nada bueno en mí, nunca jamás. ¡Y tú no has perdido la más mínima ocasión que se te ha presentado para devolverme la pelota!

—¿Quééé? —La miró con rabia—. ¿De qué demonios me hablas?

—De lo mismo sobre lo que llevas comiéndote el coco toda la vida y compadeciéndote a ti mismo y fastidiándome a mí. Porque tuviste una niñez muy dura. Porque yo no estuve a la altura de tus ideales de madre.

Roy contestó malhumorado que tampoco había estado a la altura de los ideales de nadie más. A continuación, un tanto avergonzado, se retractó sin demasiado entusiasmo.

—Vamos, no quería decir eso, Lilly. Solo estaba un poco ofendido. De todos modos lo has hecho bien, mucho mejor de lo que yo tenía derecho a esperar, y...

—Es igual —lo cortó—. No ha sido suficiente; tú me lo has probado. Pero hay un par de cosas que me gustaría aclarar, Roy. Tú crees que fui una mala madre..., no, sí lo fui, así que reconozcámoslo. Pero me pregunto si se te ha ocurrido pensar que yo no me daba cuenta.

—Bueno... —Dudó—. Bueno, no. Creo que no se me ha ocurrido.

—Se trata sencillamente de comparar, ¿no? Al vivir en los buenos barrios en los que has crecido y ver al resto de las madres, yo era un asco. Pero yo no me crie en esa clase de ambientes, Roy. Donde yo crecí un crío tenía suerte si lograba ir tres meses a la escuela. Tenía suerte si no moría de raquitismo, paludismo o sencillamente hambre, o algo peor. No recuerdo un solo día, desde que fui lo suficientemente mayor para recordar, en el que comiera bien y no recibiese una zurra...

Roy encendió un cigarrillo mirándola por encima de la cerilla más irritado que interesado por lo que decía. ¿Y qué importaba todo aquello? Tal vez su infancia había sido muy dura, aunque tendría que fiarse de su palabra. Lo único que él sabía era cómo había sido su propia infancia. Pero si decía la verdad y sabía lo mal que se pasaba, ¿por qué le había dado a él lo mismo? No había tenido que sufrir las mismas presiones sociales que sus padres. ¿Por qué, joder, ya estaba casada y vivía fuera de casa a una edad en la que él ni siquiera había terminado la escuela?

Algo en este último pensamiento se abrió paso a través de los escalonados raciocinios que lo iluminaban, al tiempo que la mantenía a ella alejada en la oscuridad exterior. Exasperado, se preguntaba cuánto le llevaría salir de allí decentemente. Era lo único que deseaba. Nada de excusas ni explicaciones. Por culpa de Carol y porque le debía algo a Lilly, había asumido el papel del que pide disculpas y da explicaciones. Y lo había aceptado resueltamente, pero...

Por fin se dio cuenta de que la habitación estaba en silencio. Llevaba en silencio un rato. Lilly reposaba sobre el respaldo de su silla contemplándolo con una taimada sonrisa de hastío.

—Da la impresión de que te estoy deteniendo —dijo—. ¿Por qué no sales corriendo y me dejas aquí cociéndome en mis propios pecados?

—Vamos, Lilly... —Hizo un gesto a la defensiva—. Nunca te he reprochado nada.

—Pero tienes mucho que reprocharme, ¿no es así? Fue una guarrada por mi parte ser una niña a la vez que tú. Actuar como una niña en vez de como una adulta. Sí, señor. Fui un mal bicho por no crecer y actuar como una adulta tan rápido como tú pensabas que debería haberlo hecho.

Roy estaba dolido.

—¿Qué pretendes que haga? —le preguntó—. ¿Que te ponga una aureola? Ya te la estás colocando tú misma.

—Y a la vez haciéndote parecer un tonto, ¿eh? Pero yo soy así, ya lo sabes; siempre he sido así. Siempre criticando al pobrecito y pequeño Roy.

—¡Oh, por el amor de Dios, Lilly!

—No, tengo algo más que decir. No creo que sirva de nada,

pero tengo que decirlo de todos modos. Deja la estafa, Roy. Déjala ahora mismo y mantente a distancia.

—¿Por qué? ¿Y por qué no la dejas tú?

—¿Por qué? —Lilly lo miró fijamente—. ¿Me lo preguntas en serio? ¿Por qué, bobo descerebrado? ¡No viviría ni un segundo si alguna vez diera la impresión de que me quiero retirar! Llevo metida en esto desde que tenía dieciocho años. No se sale tan fácilmente de este rollo, ¡te arrastra!

Roy se humedeció los labios, nervioso. Tal vez no exagerara, aunque resultara consolador creer lo contrario. Pero él no jugaba en su liga, ni nunca lo haría.

—Solo me dedico al timo corto, Lilly —dijo—. Únicamente operaciones de poca monta. Puedo largarme cuando me apetezca.

—No siempre será de poca monta. Contigo es imposible. Solo tienes veinticinco años y ya puedes permitirte derrochar tres de los grandes sin despeinarte. Solo tienes veinticinco y has aportado un rollo nuevo al timo: cómo sacarles tajada a los primos sin cambiar de hotel. ¿Vas a detenerte ahora? —Su cabeza describió una firme negativa—. Ni hablar. El timo es como todo lo demás. No te quedas quieto: o subes o bajas; generalmente bajas, pero mi Roy está subiendo.

Roy se sentía culpablemente halagado. Comentó que de todos modos solo se trataba de pequeños timos. No conllevaba los peligros de la estafa organizada.

—No, ¿eh? —inquirió Lilly—. Bueno, podrías haberme engañado, pero me han contado una historia de un tipo de más o menos tu edad que recibió un golpe en las tripas que casi lo mata.

—Bueno, pero...

—Ya, ya, eso no cuenta, es distinto. Pues aquí tienes algo que también es distinto. —Extendió su mano quemada—. ¿Quieres saber cómo me he hecho esto en realidad? Muy bien, te lo voy a contar...

Se lo contó, y él escuchó con repugnancia, avergonzado y turbado, poco dispuesto a asociar tales hechos con su madre e incapaz de relacionarlos consigo mismo. Solo contribuían a ensanchar la grieta que se abría entre él y Lilly.

Ella se percató, comprendió que era inútil. Una furia lenta comenzó a manar de su cuerpo.

—Así son las cosas —dijo—, pero no tiene nada que ver contigo, ¿verdad? Simplemente es un capítulo más de «Los Avatares de Lilly Dillon».

—Y muy interesante —respondió él en tono alegre—. Tal vez deberías escribir un libro, Lilly.

—Tal vez deberías escribirlo tú —respondió ella—. El de Carol Roberg sería un capítulo excelente.

Roy se puso en pie muy rígido. Asintió fríamente, cogió su sombrero y se dirigió a la puerta; pero se detuvo en un gesto interrogante.

—Lilly —comenzó—, ahora en serio, ¿adónde quieres ir a parar? ¿Qué más puedo hacer por lo de Carol que no haya hecho ya?

—¿Y tú me lo preguntas? —dijo Lilly amargamente—. ¿De verdad tienes agallas para quedarte ahí de pie preguntándomelo?

—Pero... ¿no estarás sugiriendo que me case con ella? ¿Pedirle que se case conmigo? ¡Oh, vamos, Lilly! ¿Qué solución iba a suponer para ella?

—¡Oh, Dios, Dios, Dios! —se quejó Lilly.

Ruborizándose, Roy se puso el sombrero con brusquedad.

—Siento ser una decepción tan grande para ti. Ahora me voy.

Lilly lo miró mientras él aún dudaba, y se percató de que ella no se había dado cuenta de ese detalle.

—Es la segunda vez que me engañas esta noche —dijo ella—. Ahora lo ves, ahora ya no lo ves, y nadie sabe cómo ha sido.

Se marchó bruscamente.

Avanzaba a grandes zancadas por el pasillo. Su marcha se redujo y se detuvo. Estuvo a punto de dar la vuelta y regresar. En el mismo instante, Lilly saltaba de su asiento, se dirigía a la puerta y se detenía indecisa.

Se parecían tanto que cada uno era parte del otro. Estuvieron tan unidos por un instante...

El instante transcurrió; un instante antes de la muerte. Después, ignorando el instinto, cada uno tomó su decisión. Cada uno, como siempre había sucedido, siguió su camino.

15

Roy cenó tarde en un restaurante del centro. Comió con mucho apetito, diciéndose a sí mismo, y sin duda creyéndolo, que era agradable comer en un restaurante. Estaba acostumbrado. La sutil monotonía de la comida, fuese cual fuese el restaurante, tenía un efecto reconfortante, no muy distinto al de la leche materna para un niño. En aquel formal y familiar ambiente nutricional se reforzaba el credo «Ten fe o perece»; cuanto más cambiaban las cosas, más inalterables permanecían.

De la misma forma, resultaba agradable estar de vuelta en su cama del hotel. Porque aquella era su propia cama estuviera donde estuviese; una cama estándar, siempre a punto y esperando para él, proporcionándole ese plus tanto si estaba como si no. Tal vez en sus sueños Carol la compartió brevemente con él. Esbozó una mueca de dolor, casi quiso gritar. Pero, después de todo, había fantasmas totalmente sumisos, también cómodamente estandarizados, que acudían raudos al rescate. No guardaban de él más de lo que él mismo les pedía, una sensual pero inmaculada penetración que llegaba a su fin sin compromiso mental ni moral. Te podías dar un baño rápido o meterte a fondo, pero sin peligro porque no te acercabas al agua.

Así que finalmente Roy Dillon durmió bien aquella noche.

Se despertó temprano y permaneció tendido en la postura que presumiblemente todos los hombres adoptan al despertar. Las manos cruzadas tras la nuca, los ojos contemplando distraídamente el techo, permitiendo que su mente vagara a sus anchas. Luego saltó enérgicamente de la cama, se lavó, se vistió y se marchó del hotel.

Tras el desayuno, visitó una barbería, donde se abandonó a las atenciones del peluquero, y luego regresó a su suite de dos habitaciones. Tomó un baño y se puso ropa limpia, sombrero y zapatos incluidos, y de nuevo salió del hotel.

Sacó el coche del aparcamiento y se adentró en el tráfico.

Al principio se sentía un poco extraño, nervioso debido al mucho tiempo que hacía que no conducía. Pero se le pasó rápidamente. Tras unas cuantas manzanas volvió a ser el mismo, conduciendo el automóvil de manera automática, con la misma habilidad irreflexiva que un mecanógrafo aplica a su máquina de escribir. Formaba parte de la corriente de coches, contribuía al movimiento de su pausada marea y al tiempo era impulsado por ella sin perder su identidad, libre para apartarse de la marea cuando lo deseara. Volvía a sentir de nuevo que todavía pertenecía a algo.

Como muchas compañías cuyas oficinas en su día habían formado parte integral del centro de la ciudad, Sarber & Webb se encontraba ahora en un distrito casi residencial, separada de la avidez del gigante que inevitablemente volvería a absorberla algún día. La empresa ocupaba un espacioso edificio de ladrillo y arenisca, una sola y elevada planta que dominaba unas tres cuartas partes de toda el área. En la parte trasera se elevaba la planta y media que alojaba las oficinas de la compañía.

Roy metió su coche en el aparcamiento privado situado a un lado del edificio. Silbando distraídamente, contemplando con aprobación la familiar escena que le rodeaba, sacó su maletín del coche.

Se dio cuenta de que también alguien más observaba la escena, pero no con su misma despreocupación. Un hombre joven..., bueno, tal vez no fuera tan joven, en mangas de camisa pero con chaleco. A primera vista parecía un empleado. Estaba en la parte trasera de la amplia acera que circundaba el edificio mirando críticamente hacia arriba, hacia abajo y a los alrededores, y de vez en cuando tomaba notas en un bloc.

El hombre se volvió y observó cómo Roy se aproximaba. Su mirada intransigente y desaprobadora en general, mostró en cambio cierta efusión cuando Roy pasó resueltamente a su lado y le saludó sonriendo:

—Hola.

—Hola —respondió él, pero lo dijo como si le diera vergüenza pronunciar tal palabra.

Roy continuó su camino sonriendo, oscilando brevemente la cabeza.

En el interior del edificio un largo y ancho mostrador se extendía a lo largo de toda la parte frontal y al final se abría en una portilla. Tras él, estantes de mercancías sobresalían ordenadamente, repletos de miles de artículos que Sarber & Webb vendía al por mayor. Los estantes formaban media docena de pasillos paralelos.

Extrañamente a aquella temprana hora Roy era el único vendedor-cliente que se encontraba allí. Normalmente, a esa hora la mayoría de los empleados solían tomar café al otro lado de la calle o reunirse en grupitos a lo largo del mostrador, fumando y charlando hasta que con resignación decidían dedicarse a los quehaceres cotidianos. Pero aquella mañana no se respiraba la típica familiaridad.

Todo el mundo estaba allí y sin un cigarrillo ni una taza de café a la vista. La actividad bullía en los pasillos: transporte de pedidos, confección del inventario, renovación de existencias, tareas de limpieza y orden... Todos estaban muy ocupados, o incluso más duro, simulando que lo estaban.

A lo largo de los años Roy había hecho buenas migas con todos ellos, y todos se acercaron para estrecharle la mano y felicitarle por su recuperación. Pero no perdieron mucho tiempo. Sorprendido, Roy se volvió hacia el empleado que estaba abriendo un catálogo para mostrárselo.

—¿Qué mosca os ha picado a todos? —preguntó—. No he visto tanto ajetreo desde que el garito se incendió.

—¡Es Kaggs quien nos ha picado!

—¿Kaggs? ¿Es un tipo de plaga galopante?

El hombre se rio tristemente.

—¡Ni que lo jures, amigo! —Se limpió el sudor imaginario de la frente—. Si ese hijo de puta se queda mucho tiempo por aquí...

Kaggs, le explicó, era un pez gordo de las oficinas centrales, una especie de mezcla de controlador, mediador de conflictos laborales y experto en rendimiento.

—Llegó justo después de que ingresaras en el hospital; uno de esos novatos recién salidos de la escuela, eso es lo que parece. Y no ha tenido ni una palabra amable para nadie. Ni el apuntador sabe nada de él, y para él todos somos o gilipollas o vagos. Ya sabes de sobra que eso es mentira, Roy. ¡No encontrarás en ningún sitio una panda de tíos que trabajen tan duro, ni que sean tan eficientes como nosotros!

—Eso es cierto —asintió Roy a pesar de que distaba bastante de la realidad—. Tal vez me ponga la cuenta en la mano, ¿no crees?

—Iba a decírtelo. Ya se ha cargado a la mitad de los vendedores. Dice que se terminó el por mayor para ellos. ¿Acaso tiene sentido? Todos venden a comisión. Si no venden, no ven un céntimo, así que... psss, ¡aquí viene!

Como Roy había sospechado, Kaggs era el joven de aspecto crítico que estaba fuera del edificio. Una décima de segundo después de que el empleado pronunciara la última palabra, ya estaba a su lado, tendiéndole la mano como un revólver.

—Kaggs. Oficinas centrales. Encantado de conocerle.

—Este es el señor Dillon —anunció el empleado nervioso y

obsequioso—. Roy es uno de nuestros mejores vendedores, señor Kaggs.

—El mejor. —Kaggs ni siquiera miró al empleado—. Lo cual no es mucho tratándose de este sitio. Quiero hablar con usted, Dillon.

Se giró sin haber soltado la mano de Roy, como si quisiera tirar de él. Roy se quedó quieto y de un tirón hizo que Kaggs se volviera hacia él de nuevo. Le sonrió con complacencia mientras Kaggs pestañeaba perplejo.

—Ha sido un cumplido un tanto irónico, señor Kaggs —le dijo—, y yo nunca consiento que la gente me diga cosas así. Si lo hiciera, no sería un buen vendedor.

Kaggs consideró tal afirmación y luego asintió con seca prudencia.

—Tiene razón. Mis disculpas. Y ahora todavía me gustaría hablar con usted.

—Usted primero —dijo Roy cogiendo su maletín.

Kaggs lo condujo a lo largo del mostrador, salió bruscamente por la portilla y se dirigió a la entrada del edificio.

—¿Qué le parece un café? Da mal ejemplo, demasiada gandulería por aquí, pero es difícil hablar cuando hay tanta gente intentando escuchar.

—No parece que le preocupen demasiado —apuntó Roy.

Mientras cruzaban la calle, Kaggs le contestó, crispado, que no tenía sentimientos por la gente en abstracto.

—Depende de cómo se lo monten. Si están por la faena, suelo tener mucha consideración con ellos.

En el restaurante pidió un vaso de leche y un café, e iba alternando ambas bebidas.

—Úlcera —dijo—. Ha tenido problemas con una úlcera también, ¿no? —Y sin esperar la respuesta continuó—: Le he observado al pasar delante de mí hace un momento, Dillon. Nada de cortes o titubeos en sus ademanes. Parecía que iba a algún sitio y conocía el camino. Imaginé que debía de ser Dillon; le relacioné con las ventas de inmediato. Y cuando he dicho que ser el mejor vendedor en este sitio no era mucho, era justo lo que quería decir. En mi libro está fichado como vendedor de primera, pero aquí no ha tenido ningún incentivo, nadie que le pisara los talones, solo un hatajo de burros; así que en general no le han agobiado mucho. A propósito, estoy echando a los vagos. Me importa un bledo si son vendedores a comisión o no. Si no ganan pasta, tampoco nos dejan en buen lugar, y no podemos permitirnos tenerlos por aquí. ¿Y cuál es su experiencia como vendedor, eh? Quiero decir, antes de venir aquí.

—Vender es lo único que he hecho desde que salí de la escuela —dijo Roy sin saber adónde pretendía ir a parar, pero deseando seguirle el rollo—. He vendido cualquier cosa que se pueda uno imaginar. Material de puerta en puerta. Primas, cepillos, sartenes y ollas, revistas.

—Esa es mi canción —sonrió Kaggs con desgana—. Soy de la clase de tipos que se abrieron camino en la escuela vendiendo suscripciones. Se pasó al negocio de la venta a pequeños comerciantes cuando se unió a nosotros, ¿por qué?

—Resulta más fácil que te abran la puerta —dijo Roy—, y te puedes hacer con clientela regular. La venta a comerciantes se despacha de un tirón.

Kaggs asintió con gesto aprobador.

—¿Alguna vez ha hecho de supervisor de vendedores? Ya sabe, para controlarlos y mantenerlos despiertos.

—He organizado algunos grupos de venta —respondió Roy—. ¿Y quién no?

—Yo, por ejemplo. Parece que no tengo ese talento.

—¿O el tacto? —sonrió Roy.

—O el tacto. Pero yo no cuento, ya me lo sé montar. La cosa es que Sarber & Webb necesita un jefe de ventas; ya debería tenerlo hace tiempo. Alguien que haya demostrado que es vendedor y que pueda manejar a otros vendedores. Tendría que limpiar mucha madera apolillada, o devolverle un poco de savia. Contratar a algunos nuevos y pegarles un buen sermón si bajan el ritmo. ¿Qué le parece?

—Me parece una buena idea —concedió Roy.

—Bueno, ahora mismo no sé cuánto ha ganado en su mejor año. Creo que unos seis mil seiscientos. Pero vamos a ver. Subiremos la cifra en mil quinientos; ocho mil para redondear. Eso al principio, claro. Ocho mil el primer año, y si no sirve le doy una patada. Pero estoy seguro de que servirá, y con creces. Supe que era mi hombre desde el primer minuto en que le vi. Y ahora que hemos zanjado el asunto, voy a pedirle un cigarrillo y a tomarme una taza de café de verdad, y si a mi estómago no le gusta, le daré una patada también.

Roy le tendió el paquete de cigarrillos. Con la velocidad de Kaggs al hablar, no se había percatado al momento de su verdadero significado. Cuando al fin este cruzó su mente como una sacudida, tembló al sostener el fuego para Kaggs, que lo miró pestañeando.

—¿Algo va mal? A propósito, ¿no le matan el café y los cigarrillos? Bueno, a su úlcera.

Roy negó con la cabeza.

—Bueno..., no es una úlcera grave. Lo que pasa es que está en mal sitio; ha tocado una vena. Esto... mire, señor Kaggs...

—Perk, Roy. Tutéame. Perk, de Percy, y sonríe cuando lo digas. ¿Cuántos años tienes, Roy? ¿Veinticinco o veintiséis? Perfecto, no hay razón para que no puedas...

La mente de Roy trabajaba veloz. ¡Jefe de ventas! Él, Roy Dillon, timador de lujo, ¡jefe de ventas! ¡Pero era imposible, mierda! Resultaría comprometedor, lo limitaría en exceso. Perdería la libertad de movimientos necesaria para llevar a cabo los timos. El trabajo en sí, su importancia, imposibilitaría tales actividades. Como vendedor a comisión le resultaba fácil entretenerse en lugares donde podía practicar los timos. Pero no como jefe de ventas de Sarber & Webb. El mínimo desliz y al carajo.

Roy no podía aceptar el empleo. Y, por otra parte, ¿cómo rechazarlo sin levantar sospechas? ¿Cómo podía alguien rechazar razonablemente un trabajo que estaba muy por encima de su listón, que no solo era mejor que el que tenía, sino que además prometía mejorar?

—... me alegro de que quede zanjado, Roy —decía Perk Kaggs—. Ya hemos perdido bastante tiempo aquí, así que si has terminado tu café...

—Señor Kaggs... Perk —comenzó Roy—. No puedo aceptar ese puesto. Quiero decir que no puedo hacerlo de momento. Hoy es el primer día que me levanto y salgo, y solo me he dejado caer para saludar y...

—Vaya. —Kaggs lo miró con prudencia—. Bueno, estás un poco pálido. ¿Cuándo estarás listo?, ¿en una semana?

—Bueno..., el médico me va a hacer un chequeo dentro de una semana, pero no puedo asegurar que...

—Pues que sean dos semanas entonces, o un poco más si lo necesitas. Habrá mucho trabajo y tienes que estar en forma para hacerlo.

—¡Pero tú necesitas a un hombre de inmediato! No sería justo que...

—Yo me encargo de la sección de justicia. —Kaggs se permitió una gélida sonrisa—. Las cosas llevan tanto tiempo yéndose al cuerno que un poco más no importa.

—Pero...

No quedaba nada más que decir. Tal vez se le ocurriría una excusa durante la semana siguiente, pero en aquel momento no le venía ninguna a la cabeza.

Cruzaron la calle juntos, y después cada uno se fue por su lado. Se metió en el coche, inseguro, puso el motor en marcha y volvió a apagarlo.

¿Y ahora qué? ¿Cómo iba a pasar el tiempo que Kaggs le había concedido? Lo de vender, por supuesto, estaba descartado, ya que en teoría se sentía indispuesto para trabajar. Pero quedaba lo otro, su verdadera ocupación; la fuente de ingresos ocultos tras los cuatro cuadros de payasos.

De nuevo puso el motor en marcha. Luego, con un gruñido medio contenido, volvió a pararlo. Ya que el trabajo quedaba descartado, lo mismo sucedía con el timo. No osaría hacer ni un truco, al menos antes del fin de semana. Para entonces ya sentiría esa acostumbrada ociosidad y sería capaz de abandonarse sin recelo al ajetreo nocturno.

El fin de semana. Y solo era miércoles.

Pensó en Moira. Con una mueca inconsciente la apartó de su mente. Hoy no. Lo de Carol aún estaba demasiado reciente.

Puso por tercera vez el coche en marcha y salió de allí. Condujo un par de horas, después comió en un restaurante y regresó al hotel.

Pasó una inquieta tarde de lectura. Cenó y mató la noche en el cine.

De nuevo enfrentado a la ociosidad del día siguiente, se sintió movido a llamar a Moira. Pero de algún modo, sin pensar en ello, marcó el número de Carol en su lugar.

Con voz soñolienta, Carol le dijo que no podía verlo. No había ningún motivo para que se vieran.

—Oh, vamos, puede que sí lo haya —respondió él—. ¿Por qué no quedamos y charlamos sobre el asunto?

Ella dudaba.

—¿Sobre qué exactamente?

—Bueno, ya sabes, sobre un montón de cosas. Podemos comer juntos y...

—No —dijo ella con firmeza—. No, Roy. Es imposible. Trabajo en el hospital. Tengo el turno de noche. Durante el día debo dormir.

—Entonces por la tarde. —De repente era muy importante para él verla—. Antes de que vayas a trabajar; o puedo recogerte por la mañana cuando salgas. Yo...

Se animó y se apresuró a anunciarle que tenía un nuevo empleo. O, al menos, que estaba pensando en aceptarlo. Quería saber su opinión y...

—No —dijo ella—. No, Roy.

Y colgó.

16

Al día siguiente telefoneó a Moira Langtry. Pero nuevamente fue en vano. Estaba sorprendido y a la vez irritado, ya que en un primer momento ella pareció aceptar la idea de irse a La Jolla el fin de semana, pero se echó atrás casi instantáneamente. No podía ser, le explicó. Problemas femeninos, ya sabía, el período. No resultaría práctico. ¿Mañana? Mmm, no, se temía que no. Pero pasado mañana, domingo, sí sería posible.

Roy sospechaba que sencillamente estaba un poquitín molesta con él, que era una especie de castigo por las pocas atenciones de las pasadas semanas. Evidentemente, estaba completamente descartado suplicarle, así que contestó con aire desenfadado que le parecía bien el domingo también, y así quedaron.

Dedicó el resto del día, o la mayor parte de él, a hacer una excursión a las playas de Santa Mónica. Como el día siguiente era sábado, ya estaba libre para dedicarse al timo otra vez. Pero tras ciertas dudas decidió posponerlo.

Lo dejaría pasar. No estaba de humor. Necesitaba recuperarse un poco más, sacudirse de encima algunos inquietantes recuerdos que podían añadir riesgos a una profesión ya de por sí bastante arriesgada.

Haraganeó todo el día. Se puso melancólico, casi se compadecía de sí mismo. Vaya un modo de vida, pensó resentido. Siempre atento a cada palabra que pronunciaba, siempre escudriñando meticulosamente cada palabra que le decían. Y jamás realizaba un movimiento que no estuviera meticulosamente estudiado por adelantado. Caminaba por la vida en la cuerda floja, y solamente podía apartar su mente de ella asumiendo grandes riesgos.

Por supuesto, sus esfuerzos estaban bien remunerados. Rápidamente había acumulado un buen botín, y continuaría acumulándolo. Pero ahí estaba el problema: ¡sencillamente acumulaba! Tan inútil como un montón de cupones de detergente.

No era preciso decir que tal situación no se prolongaría eternamente; no viviría para siempre una vida de segunda clase en un hotel de segunda clase. En cinco años más su botín ascendería lo suficiente para retirarse y podría abandonar las precauciones a las que ahora le obligaba el timo. Pero necesitaba esos cinco años para asegurarse dicho retiro, llenarlo con todas las cosas de las que había tenido que privarse. ¿Y si no vivía cinco años? ¿Ni siquiera un año? ¿O ni siquiera un día? ¿O ni siquiera...?

Tal reflexión se agotó en sí misma, y también le agotó a él. El interminable día pasó y se quedó dormido. Y después, milagrosamente, era de nuevo de día. Finalmente, llegó el domingo. Por fin tenía algo que hacer.

Iban a desplazarse en tren hacia el sur a la una, y Moira iba a reunirse con él en la estación. Roy dejó el coche en el aparcamiento de la estación —alquilaría uno para la estancia— y sacó su bolsa del maletero.

Solo eran las doce y cuarto, demasiado temprano para esperar a Moira. Compró los billetes, le dio los números de asiento, su bolsa y una buena propina a un mozo de estación y entró en el bar.

Tomó una copa, que alargó al máximo mientras consultaba de vez en cuando el reloj. A la una menos veinte se levantó del taburete y salió del bar.

En domingo el tren del sur siempre iba atestado, transportando no solamente a civiles, sino también a grupos de marineros que regresaban a sus bases en Camp Pendleton y San Diego. Roy los observó fluir ininterrumpidamente a través de las puertas numeradas y por las largas rampas que conducían a los trenes. Un poco nervioso, consultó nuevamente el reloj.

La una menos diez. Había tiempo suficiente, claro, pero no demasiado. La estación tenía más de una manzana de ancho y la rampa hacia el tren casi lo mismo de largo. Si Moira no llegaba en aquel instante, bien podía quedarse en tierra.

La una menos cinco.

Menos cuatro.

Roy se dio por vencido amargamente y se dispuso a regresar al bar. No lo hacía intencionadamente, estaba seguro. Lo más probable era que la hubiese detenido un atasco, una de las marañas de coches en uno de esos nudos gordianos que afectaba a los supuestos accesos de velocidad ilimitada. Pero, ¡mierda!, ¡si saliera antes de los sitios en vez de esperar hasta el último minuto...!

Oyó su nombre.

Se volvió y la vio atravesar la puerta de entrada corriendo detrás de un mozo que transportaba su equipaje. El hombre sonrió a Roy al pasar a su lado.

—Hago lo que puedo, jefe. Síganme.

Roy tomó a Moira por un brazo y siguieron al hombre.

—Lo siento —se excusó—. ¡Ese maldito apartamento! El ascensor se quedó atascado y...

—No importa. Reserva tus fuerzas —dijo él.

Cruzaron a la carrera el suelo de mármol del edificio, atravesaron la puerta de entrada y descendieron por lo que parecía una interminable rampa. Al otro extremo se encontraba el ferroviario, reloj en mano. Mientras se aproximaban lo guardó en su bolsillo y comenzó a subir por la corta rampa lateral del andén de carga.

Lo siguieron y pasaron por delante de él.

Justo cuando el tren se ponía en marcha subieron al último vagón.

Otro mozo los acomodó en sus asientos. Sin aliento, se dejaron caer pesadamente en ellos y en los treinta minutos siguientes apenas se movieron.

Por fin, cuando salían ya de la ciudad de Fullerton, Moira volvió la cabeza aún apoyada sobre el blanco respaldo de su asiento y le sonrió.

—Es usted un buen hombre, McGee.

—Y usted una buena mujer, señora Murphy —repuso él—. ¿Cuál es su secreto?

—Ropa interior en la sopa de marisco. ¿Cuál es el suyo?

Roy dijo que el suyo se inspiraba en una lectura.

—Estaba leyendo una historia maravillosa cuando has entrado. Es de un autor llamado Bluegum LaBloat. ¿Te suena?

—Mmm. Me resulta familiar.

—Creo que es su mejor obra —dijo Roy—. El escenario es un lavabo de hombres en una estación de autobuses, y los personajes, un aseado viejo y un joven gordo que viven en uno de los váteres de monedas. Le piden poco a la vida. Solamente la intimidad de hacer lo que la naturaleza humana pide a veces. Pero ¿lo consiguen? ¡Mierda, no! Cada vez que se meten en faena, si me perdonas el lenguaje, algún imbécil con diarrea entra corriendo y mete una moneda en la ranura. Y en su grosero abandono a la necesidad se pierden los propios deseos de ambos. Al final, al no ser fructíferos sus planes, recogen todos los corazones de manzana de los orinales y se adentran en los bosques para hacer un pastel.

Moira le dedicó una mirada severa.

—Voy a llamar al revisor —declaró.

—¿No podría comprar tu silencio con una copa?

—El silencio lo compro yo, un par de horas es lo que necesito después de esto. Pídete una copa y asegúrate de enjuagarte la boca con ella.

Roy se rio.

—Te espero si quieres.

—Vete —dijo Moira con firmeza, cerrando los ojos y recostándose en el asiento—. ¡Vete, muchacho, vete!

Roy le dio una palmadita en el costado. Se puso en pie y atravesó dos vagones hasta la cafetería. Se sentía bien otra vez, en forma de nuevo. Las introspectivas reflexiones de los últimos días lo habían abandonado y casi le apetecía hacer una pirueta.

Como se imaginaba, la cafetería estaba atestada. A menos que pudiera mezclarse con algún grupo, que era justo lo que pretendía, no había sitio para sentarse.

Supervisó la escena con aprobación, después se volvió al camarero.

—Un bourbon con agua —dijo.

—Lo siento, señor. No puedo servirle a menos que esté sentado.

—Vale. Pero de todos modos, ¿cuánto es?

—Ochenta y cinco centavos, señor. Pero no puedo...

—Dos dólares. —Roy asintió posando los dos billetes sobre la barra—. Quédate con el cambio, ¿de acuerdo?

Cogió el vaso y comenzó a atravesar el pasillo balanceándose de vez en cuando con el movimiento del tren. A medio camino se dejó balancear sobre una mesa donde se sentaban cuatro militares, sacudiendo sus bebidas y vertiendo un poco del contenido de sus copas sobre la mesa.

Se disculpó efusivamente.

—Tenéis que permitir que os pague una ronda. No, insisto. ¡Camarero!

Lo instaron a sentarse muy complacidos, y se apretaron un poco en la mesa para hacerle sitio. Las bebidas llegaron y desaparecieron. Mientras protestaban, Roy invitó a otra ronda.

—Pero eso no es justo, colega. La próxima vez invitamos nosotros.

—No, veterano —respondió Roy, complacido—. No creo que pueda aguantar otra, pero...

Se calló de repente mientras miraba al suelo. Frunció el ceño y fijó más la vista. A continuación, se agachó y extendió su mano bajo la mesa. Luego, irguiéndose de nuevo, dejó caer un pequeño dado sobre ella.

—Amigos, ¿se os ha caído a alguno de vosotros? —les preguntó.

El dado corrió. Las apuestas se doblaron y redoblaron. Con la engañosa velocidad del tren, el dinero fluía hacia los bolsillos de Roy Dillon. Más tarde, cuando sus cuatro víctimas se acordaran de él, recordarían a un «tío guay», tan amablemente preocupado por unas ganancias que a todas luces no quería, que los haría avergonzarse de cualquier pensamiento de duda por su parte. Cuando Roy se acordara de ellos más tarde..., pero no lo haría. Toda su mente se concentraba en ellos, en lo que tardaría en desplumarlos, en mantenerlos constantemente distraídos y desarmados. Y con tanta intensidad de concentración para alimentar esas candentes llamas, poco quedaría para el recuerdo de ninguno de ellos más tarde. Ellos disfrutaban sus copas; las de Roy eran insípidas. De vez en cuando uno de ellos iba al lavabo; él no podía. Ocasionalmente miraban por la ventanilla y comentaban la belleza del paisaje, porque era precioso con todas aquellas playas de arena blanca, el verde y oro de las arboledas, las montañas de azul grisáceo y las casas blancas con tejados rojos tan sorprendentemente parecidos a los del sur de Francia. Pero, aunque Roy les hacía coro con algún comentario apropiado, no miraba donde ellos miraban, no veía lo que ellos veían. Por fin, como resucitando de su concentración, se dio cuenta de que el vagón estaba casi vacío y de que el tren avanzaba lentamente a través de los barrios periféricos de San Diego, final de trayecto. Se puso en pie y tras chocar la mano a los militares se volvió para salir de la cafetería. Y allí, en la entrada, estaba Moira sonriéndole.

—Pensé que mejor venía a buscarte —dijo—. ¿Te has divertido?

—Oh, ya sabes. Estaba solo jugándome unas copas a los dados. —Se encogió de hombros—. Siento haberte dejado sola tanto tiempo.

—Olvídalo. —Le sonrió tomándolo del brazo—. No me importa en absoluto.

17

Roy alquiló un coche en San Diego y condujo hasta el hotel de La Jolla donde iban a alojarse. Se erigía sobre un hermoso césped en un peñasco que dominaba el Pacífico.

A Moira le gustó mucho el hotel. Al respirar aquel aire limpio y fresco insistió en dar un paseo por los alrededores antes de entrar.

—Vaya, esto es estupendo —declaró—. ¡Esto es vida! —Y mirándolo seductoramente—. No sé cómo agradecértelo.

—Oh, ya se me ocurrirá algo —contestó Roy—. Tal vez puedas lavarme los calcetines.

Roy rellenó las fichas y siguieron al botones al piso de arriba. Sus habitaciones estaban en lados opuestos del pasillo. Moira lo miró interrogante, exigiendo una explicación.

—¿A qué viene lo del *apartheid*? —dijo—. No es que no pueda soportarlo si tú puedes...

—He pensado que sería mejor así, habitaciones separadas registradas a nombre de cada uno. Ya sabes, por si surgiera algún problema.

—¿Y por qué iba a surgir ningún problema?

Roy le contestó en tono despreocupado que no tenía por qué surgir ninguno, no existía razón para ello.

—Pero ¿por qué correr riesgos? Además, estamos enfrente. Ahora bien, si quieres que te muestre lo conveniente que es...

La atrajo hacia sí y permanecieron unos instantes abrazados. Pero cuando él se dispuso a proseguir, ella se apartó.

—Luego, ¿vale? —Se inclinó ante el espejo para arreglarse despreocupadamente el pelo—. Me he dado tanta prisa por la mañana que estoy a medias.

—Pues luego —asintió Roy con gesto aprobador—. ¿Te apetece comer algo ahora o prefieres esperar a la cena?

—A la cena, desde luego. Ya te avisaré.

La dejó aún inclinada ante el espejo y se fue a su habitación. Mientras deshacía la bolsa de viaje, pensó que más que estar mosqueada por lo de las habitaciones separadas, sentía curiosidad; en cualquier caso, tal arreglo era imperativo. Se le conocía como soltero. Desviarse de esa soltería conllevaba utilizar un nombre falso. ¿Y dónde quedaba entonces su tapadera de protección tan detallada y dolorosamente construida durante años?

Estaba ligado a la tapadera, ligado a ella y ligado por ella. Si Moira se sorprendía o se mosqueaba, ya podía dejar de hacerlo. Deseaba no haber tenido que darle ninguna explicación. Las explicaciones siempre dan mal resultado. También le molestaba que ella lo hubiera visto actuando en la cafetería del tren. Pero los deseos y las molestias eran simples detalles, reflexiones más vanas que inquietantes.

Era normal apostarse una copa. Era normal mostrarse precavido al registrarse en un hotel. ¿Por qué iba Moira a pensar en lo primero como una actividad profesional y en lo segundo como su tapadera, una tapadera que siempre debería ir unida a él como su sombra?

Al terminar de deshacer su equipaje, Roy se tendió en la cama, sorprendentemente agradecido ante aquella oportunidad de descansar. No se había dado cuenta de lo cansado que estaba, de que pudiera alegrarse tanto por descansar un rato. Al parecer, reflexionó, aún no se encontraba completamente recuperado de los efectos de la hemorragia.

Arrullado por los distantes latidos del océano, se rindió a un reconfortante sueño, y se despertó justo antes del atardecer. Se estiró perezosamente y se sentó, sonriendo inconscientemente por el placer de aquella comodidad. La brisa marina entró por las ventanas. A lo lejos, en el oeste, bajo un cielo color pastel, un sol entre rojo y anaranjado se hundía lentamente en el océano. Había visto muchas veces ponerse el sol en el sur de California, pero cada vez resultaba una experiencia nueva. Cada crepúsculo parecía más hermoso que el anterior.

De mala gana, al oír el teléfono se apartó de aquel esplendor. La voz de Moira era animada.

—¡Buuu, feo! ¿Me vas a invitar a cenar o no?

—Por supuesto que no —dijo él—. Dame una buena razón para que lo haga.

—Imposible. No por teléfono.

—Entonces escríbeme una carta.

—Imposible. El correo no funciona los domingos.

—Excusas —refunfuñó él—. ¡Siempre excusas! Bueno, de acuerdo, pero solamente hamburguesas.

Tomaron unos cócteles en el bar del jardín del hotel. Después, adentrándose en la ciudad, cenaron en una marisquería con una espléndida panorámica del océano. Moira había declarado un armisticio con su dieta y demostró con creces que pretendía aprovecharlo.

Comenzaron con un cóctel de langosta que habría bastado para sentirse satisfechos. El plato principal consistió en una inmensa fuente de mariscos variados rodeados de patatas deliciosamente doradas, todo ello servido con pan de ajo y una buena ensalada. Después tomaron el postre, un esponjoso pastel de queso, y abundante café solo.

Moira suspiró alegremente al aceptar un cigarrillo.

—Como he dicho antes, ¡esto es vida! ¡De verdad, no puedo moverme!

—Entonces no te apetecerá bailar, claro.

—Tonto —dijo ella—. ¿Qué te ha hecho pensar eso?

Le encantaba bailar y lo hacía muy bien, también él se defendía. En más de una ocasión sorprendió las miradas de otros clientes fijas en ellos. Al verlos también, Moira se apretó e inclinó su flexible cuerpo sobre el de Roy.

Tras una hora aproximada de baile, cuando la pista empezó a llenarse de gente, se fueron a dar un paseo en coche a la costa bajo la luz de la luna, dando la vuelta al llegar a la ciudad en Oceanside. Las rizadas olas de la marea nocturna rezumaban espuma. Se aproximaban desde los abismos del océano enrollándose sobre sí mismas, batiendo la playa en series rítmicas de rugidos atronadores. Entre la orilla rocosa de la playa relucía esporádicamente la negrura de alguna foca.

Eran casi las once cuando regresaron al hotel. Moira contenía un bostezo. Se disculpó comentando que era el tiempo, no la compañía. Pero cuando llegaron a las puertas de sus habitaciones, le tendió la mano para darle las buenas noches.

—No te importa, ¿verdad, Roy? Ha sido una velada maravillosa, supongo que estoy agotada.

—Pues claro que no —dijo él—. Yo también estoy bastante cansado.

—Pero ¿estás seguro? ¿Seguro que no te importa?

—Lárgate —ordenó él empujándola hacia su puerta—. No pasa nada.

Pero claro que pasaba, y por supuesto que le importaba, un montón. Entró en su habitación conteniendo un enfurecido impulso de pegar un portazo. Tras quitarse la ropa se sentó al borde de la cama y dio unas cuantas chupadas airadas a un cigarrillo. ¡Unas vacaciones a tope, vaya! ¡Se tenía bien merecido que se largara y la dejara plantada!

El teléfono sonó débilmente. Era Moira. Habló con una risa sofocada.

—Abre la puerta.

—¿Qué? —Sonrió a la expectativa—. ¿Para qué?

—¡Ábrela y averígualo, cabeza hueca!

Colgó y abrió la puerta. Escuchó un sibilante «¡Pasillo!» desde la puerta de enfrente. Se echó hacia atrás y Moira apareció dando brincos por el pasillo. Su negra melena estaba recogida en un moño firme. Completamente desnuda y con un dedo apoyado en la barbilla describió una reverencia ante él.

—Espero que no le importe, señor —dijo—. Acabo de lavar mi ropa y no podía utilizarla. —Después, gorgoteando, atragantada por la risa, se echó en sus brazos—. ¡Ay, chico! —susurró—. ¡Si hubieses podido verte cuando te he dado las buenas noches! Parecías tan... tan... ja, ja, ja...

La tomó en brazos y la tumbó en la cama.

Lo pasaron a tope.

18

Pero después, cuando ella regresó a su habitación, lo abordó la depresión, y lo que le había parecido un rato genial se tornó desagradable, incluso ligeramente repugnante. Era la depresión de la saciedad, la resaca de la falta de moderación. Flotabas hacia arriba, te desplazabas a lo lejos, con generosidad, aprovechándote de la brisa que podría transportarte indefinidamente. Y después todo se terminaba y te hundías, y seguías hundiéndote sin remedio.

Revolviéndose, inquieto, en la oscuridad, Roy se convenció a sí mismo de que aquella melancolía era natural y un precio muy bajo por lo que había recibido. Sin embargo, en cuanto a lo último, en realidad no estaba muy convencido. Se había producido demasiada monotonía en los deleites de la velada. Había seguido esa misma senda demasiadas veces. Había estado allí antes, jodidamente a menudo, y aunque viajara marcha atrás, hacia delante o caminando sobre las manos, siempre llegaba al mismo sitio. Mejor dicho, no llegaba a ningún sitio, y cada viaje se llevaba un poco más de él.

Y, sin embargo, ¿deseaba realmente que las cosas cambiaran? Incluso ahora, en medio de la desolación, ¿no estaban ya sus pensamientos desplazándose hacia fuera, al otro lado del pasillo?

Sacó las piernas de la cama y se sentó en el borde. Encendió un cigarrillo, se echó un batín por encima de los hombros y permaneció allí sentado, contemplando la noche a la luz de la luna. Pensaba que tal vez no fuera ni él ni Moira lo que le había producido aquella triste desesperación. Tal vez se trataba de una combinación de diversos detalles.

Todavía no había recobrado del todo las fuerzas. Había necesitado gastar un montón de energía para alcanzar el tren. Y practicar un timo después de un período de inactividad tan largo lo había sometido a una tensión inusual. Luego habían concurrido un sinfín de detalles; por ejemplo, la curiosidad de Moira sobre las habitaciones separadas. Y también aquella cena tan pesada, por lo menos el doble de lo que necesitaba o le apetecía. Y después de todo...

Su mente se quedó anclada en la cena, en su copiosidad y pesadez. Y de repente el cigarrillo adquirió un sabor asqueroso, y una ola de náusea se extendió por su estómago. Corrió hacia el baño con una mano en la boca y los carrillos hinchados. Y llegó a duras penas.

Se deshizo de toda la comida, de cada uno de sus asquerosos bocados. A continuación, se enjuagó la boca con agua templada y bebió varios vasos de agua fría. E inmediatamente comenzó a vomitar otra vez.

Inclinado ante el retrete, examinó el contenido de su estómago con ansiedad y, para su tranquilidad, encontró los restos limpios. No se veía ninguna traza marrón, nada que indicase hemorragia interna.

Temblando ligeramente, regresó deprisa a la cama y se cubrió con las mantas. Ya se sentía mucho mejor, más ligero y más limpio. Cerró los ojos y se quedó dormido al instante.

Durmió profundamente, sin sueños, como si comprimiera las horas de descanso. Se despertó sobre las seis y media; sabía que ya había gozado de su ración y que no iba a poder dormir más.

Se afeitó, se duchó y se vistió. Todo ello no le llevó más de media hora, aunque lo hizo con toda la calma posible. Así que allí estaba, solo eran las siete de la mañana y estaba tan desocupado como si se encontrara en Los Ángeles.

Evidentemente no podía llamar a Moira a aquella hora. Le había dicho que tenía la intención de dormir hasta el mediodía y que no dudaría en asesinar al que se atreviera a despertarla antes. De todos modos, tampoco tenía prisa por ver a Moira. Ya era bastante con tener que recuperarse como para encima verse obligado a entretenerla.

Bajó a la cafetería del hotel y se tomó unas tostadas con café. Pero lo hizo exclusivamente por disciplina, por costumbre. Pasara lo que pasase la noche anterior, un hombre tenía que desayunar por la mañana. Había que desayunar, con hambre o sin ella, de lo contrario se vería inevitablemente envuelto en problemas.

Al descender por el sendero de gravilla blanca hasta la roca que dominaba el océano, permitió que sus ojos erraran sin rumbo fijo por la amplia extensión de mar y arena: las blancas crestas de aspecto glaciar, las oscilantes velas en la distancia, las majestuosas gaviotas siempre al acecho. Desolación. Lo eterno, lo infinito. Como la concepción de Dostoievski sobre la eternidad, una mosca dando vueltas alrededor de un retrete; los contados indicios de vida que no hacían más que enfatizar la soledad.

Y a aquella hora de la mañana algo de eso acompañaba a Roy Dillon. Bruscamente se apartó de todo eso y se dirigió al coche alquilado.

El café y las tostadas no le habían sentado demasiado bien. Le hacía falta algo que le entonase el estómago y solo se le ocurría una cosa. Una botella de buena cerveza, o mejor aún, de cerveza tostada. Estaba seguro de que no la encontraría a una hora tan temprana en una comunidad como La Jolla. Allí los bares, o mejor dicho, las coctelerías no abrirían hasta poco antes del almuerzo. Si existían bebedores matinales en la ciudad, e indudablemente existían, tendrían sus propios bares fichados.

Roy giró hacia San Diego y salió de los barrios periféricos de La Jolla para adentrarse en los más humildes, reduciendo ocasionalmente la marcha para echar un rápido vistazo a los diferentes establecimientos. Muchos de ellos estaban abiertos, pero no eran lo que buscaba. Solo tendrían marcas de la Costa Oeste, que a Roy le parecían imbebibles. Estaba claro que ninguno de ellos tendría una buena cerveza tostada.

Aproximándose a San Diego ascendió por Mission Valley unos kilómetros. Después, bordeando una elevada colina, se adentró en Mission Hills. Allí, tras vagar unos treinta minutos, encontró el lugar apropiado. No se trataba en absoluto de un establecimiento lujoso, de una de aquellas elegantes coctelerías donde las bebidas eran secundarias con respecto al ambiente. Sencillamente, era un buen bar de aspecto sólido, con un aire que de inmediato le inspiró confianza.

El propietario contaba dinero ante la máquina registradora cuando Roy entró. Era un hombre delgado pero fuerte, de cabello gris y un rostro bronceado de arrugada sonrisa. Asintió con un gesto de saludo a través del espejo trasero.

—Sí, señor. ¿Qué va a ser?

Roy se lo pidió y el propietario le contestó que por supuesto tenía buena cerveza tostada: si la cerveza tostada no era buena, era bazofia.

—¿La quiere de importación o Ballantine's?

Roy eligió Ballantine's y el hombre se mostró complacido por su elección.

—Es buena, ¿eh? ¿Sabe qué? Creo que yo también voy a tomarme una.

A Roy le gustó el tipo de inmediato. El sentimiento era recíproco. Le gustaba el aspecto de aquel lugar, la modesta honestidad y decencia que transmitía, el sosegado orgullo de su propietario por ser el dueño.

Al cabo de diez minutos ya se tuteaban. Roy le explicó el motivo de su presencia en la ciudad. Le dijo que utilizaba sus vacaciones como excusa para beber fuera de las horas punta. Bert, el dueño, le confesó que también él solía evitar la copa del mediodía, pero como se iba de vacaciones al día siguiente, ¿qué había de malo en romper la costumbre?

Entraron dos hombres, se bebieron de golpe un trago doble y se marcharon inmediatamente. Bert los contempló con aire de tristeza y regresó hasta donde estaba Roy. Esa no es forma de beber, se dijo. De vez en cuando incluso el mejor de los hombres necesitaba una copa o dos por la mañana, pero aun así, aquel no era modo de beber.

Al alejarse de nuevo para atender a otro cliente, rozó al pasar una pequeña caja con frutos secos y salados, desplazándola de su posición. Al mirar distraído en esa dirección, Roy vio algo que le hizo enarcar las cejas. Se levantó un poco en su taburete para ver mejor y asegurarse de lo que era. Volvió a sentarse sorprendido e inquieto.

¡Un *punchboard*! ¡Un *punchboard* en un sitio como aquel! Bert no parecía tonto, ni en cuanto al timo ni por lo que respecta a su vida cotidiana, pero un *punchboard* era un artículo exclusivamente de tontos.

En sus comienzos en el mundo del timo existían todavía pandillas que trabajaban con aquellos tableros; uno de ellos se encargaba de instalarlos y otro de sacar la pasta. Pero llevaba años sin verlos. Todo el mundo los había retirado hacía mucho tiempo, e intentar instalar uno de esos ahora era pedir a gritos una fractura de mandíbula.

Por supuesto que algunos comerciantes y camareros todavía los compraban para pinchar los números ganadores al principio, y de este modo los clientes no tenían la más mínima oportunidad de obtener el premio. Pero Bert no haría eso. Bert...

Roy sonrió irónicamente para sus adentros y tomó un espumoso trago de cerveza tostada. Pero ¿por qué estaba pensando en eso? ¿Es que él, Roy Dillon, iba a preocuparse ahora por el buen o mal comportamiento de un camarero o por la posibilidad de que le timaran?

Había entrado otro cliente, un obrero vestido de caqui, y Bert le estaba sirviendo una Coca-Cola. Regresó de nuevo con dos botellas de cerveza tostada y volvió a llenar los vasos. Entonces Roy hizo como si descubriera el tablero.

—Ah, ese chisme. —Bert lo retiró de la barra trasera y se lo colocó enfrente—. Un tipo se lo dejó olvidado hace tres o cuatro meses. No me di cuenta hasta que se marchó. Iba a tirarlo, pero de vez en cuando entra algún cliente que quiere probar suerte, así que... —Hizo una pausa incitante—. ¿Quieres probar? Las tiradas valen desde un centavo hasta un dólar.

—Bueno.

Roy observó el tablero.

Impresas en la parte superior aparecían cinco monedas doradas de imitación que representaban premios en metálico desde cinco hasta cien dólares. Bajo cada una de ellas había un número. Para ganar había que pinchar acertadamente un número o varios de entre los miles que aparecían en el tablero.

Ninguna de las cifras ganadoras estaba pinchada. Evidentemente, Bert era tan honesto como aparentaba.

—Bueno —dijo Roy tomando la llave metálica que colgaba del tablero—. ¿Qué puedo perder?

Pinchó unos cuantos números lentamente para que Bert los inspeccionara. Al sexto intento acertó el premio de cinco dólares, y Bert, sonriente, depositó billete tras billete. Roy los dejó en la barra y fijó de nuevo su atención en el tablero.

No podía decirle a Bert que aquel era un truco para primos. Hacerlo revelaría un conocimiento que ningún hombre honrado debería poseer. Lo que estaba claro, a pesar de que alguien acabaría haciéndolo, era que no quería robarle a aquel tipo. Ese día no quería dedicarse al timo, o eso pensó. Sencillamente, no había suficiente en juego.

Aunque él acertara todos los premios del tablero las ganancias ascenderían a menos de doscientos dólares. Y naturalmente, nunca lograría acertarlos todos. Los profesionales del ramo siempre se lanzaban a por el premio gordo y dejaban los demás en paz. Y lo cierto es que él ya había acertado el premio de cinco dólares, así que...

Pinchó el número de diez dólares. Aún sonriente, más complacido que desconcertado, Bert volvió a colocar el dinero sobre la barra. Roy sacó la llave metálica para un nuevo intento.

Aquel era el modo de hacerlo, decidió. El modo de apartar el tablero de la circulación. Un premio más, el de veinticinco, y le comentaría a Bert que algo debía de funcionar mal en aquel aparato. Bert se vería obligado a deshacerse de él. Y Roy, por supuesto, se negaría a aceptar las ganancias.

Pinchó el tercer número «de la suerte». Haciéndose el sorprendido, se aclaró la garganta para la advertencia. Pero Bert, cuya sonrisa era más rígida ahora, se había vuelto para mirar al cliente de la Coca-Cola.

—¿Sí, señor? —le preguntó—. ¿Alguna cosa más?

—Sí, señor —respondió el hombre en tono alegre pero firme—. Sí, señor, una cosa más. ¿Me podría enseñar usted la licencia de juego?

—¡Ah! ¿Qué...?

—No la tiene, ¿eh? Muy bien, pues le diré otra cosa que tampoco tiene, o que a partir de ahora no va a tener más. Su licencia de venta de alcohol.

—Pero... —Bert había palidecido bajo su bronceado rostro. Las licencias para vender alcohol en California cuestan una pequeña fortuna—. ¡Pero no puede hacerme esto! Solo estábamos apostándonos...

—Eso cuénteselo a los federales. Yo soy un agente local. —Le mostró su cartera con las credenciales. A continuación se dirigió fríamente hacia Roy—. Es usted bastante tonto, señor. Nadie excepto un enterado intentaría timar a un primo con tres aciertos de una sentada.

Roy lo miró con tranquilidad.

—No tengo ni idea de qué me habla —dijo—. Y no me gusta su lenguaje.

—¡En pie! ¡Voy a arrestarle por tramposo!

—Está cometiendo un error, oficial. Soy vendedor y...

—Me quieres complicar la vida, ¿eh? ¡Asqueroso timador hijo de puta...!

Tomó a Roy por las solapas y, poniéndolo en pie bruscamente, lo estampó contra la pared.

19

Primero fue el registro. Vaciado de bolsillos, cacheo de pies a cabeza y la inspección manual a ambos lados de los testículos. Después vinieron las preguntas seguidas por respuestas que fueron inmediatamente etiquetadas de mentiras.

—¡Tu nombre verdadero, maldito seas! ¡Me importa un bledo la documentación falsa! ¡Todos los tramposos la tenéis!

—Ese es mi verdadero nombre. Vivo en Los Ángeles y llevo trabajando cuatro años para la misma compañía...

—¡No me cuentes más bolas! ¿Quién se trabaja los tableros contigo? ¿En cuántos sitios habéis utilizado esa estratagema?

—He estado enfermo. Llegué a La Jolla anoche... con una amiga, de vacaciones.

—¡Muy bien, muy bien! Ahora vamos a empezar de nuevo y ¡espero por tu bien que empieces a cantar!

—Agente, aquí en la ciudad hay por lo menos cien comerciantes que pueden identificarme. Llevo años vendiéndoles y...

—¡Cállate! ¡Deja de contarme esa mierda! ¡Cuál es tu verdadero nombre!

Las mismas preguntas una y otra vez. Las mismas respuestas una y otra vez. A cada instante el poli se volvía hacia el teléfono de la pared para pasar la información y que la comprobasen. Pero aunque tal información se verificase, no se daba por vencido. Sabía lo que sabía. Con sus propios ojos había visto a aquel tramposo trabajarse ágilmente el tablero y sacar tres premios. Y a pesar de la perfecta tapadera de Roy, ¿cómo iba a ignorar un timo tan evidente?

De nuevo estaba al teléfono, su duro rostro malhumorado al enterarse de las respuestas a sus preguntas. Roy miró de soslayo a Bert. Fijó su mirada sobre el tablero y de nuevo levantó la vista hacia Bert. Asintió casi imperceptiblemente. Pero no estaba seguro de que Bert hubiera recibido su mensaje.

El poli colgó el teléfono con brusquedad. Contempló a Roy, irritado, se pasó una carnosa mano por la cara y titubeando intentó articular las palabras que la situación exigía, las disculpas que ultrajaban su instinto y se burlaban de la evidencia registrada por sus ojos.

Desde detrás de la barra Roy escuchó un rechinar sordo, el ruido del triturador de basura. Sonrió para sus adentros.

—Bien, agente —dijo—. ¿Alguna otra pregunta?

—Eso es todo. —El poli movió la cabeza—. Parece que he cometido un error.

—¿Sí? Me estampa contra la pared y me insulta, me trata como a un criminal. Y después me dice que le parece que ha cometido un error. ¿Se supone que eso lo arregla todo?

—Bueno... —Labios apretados, escupiendo las palabras—. Lo siento, perdón. No era mi intención.

Roy se alegraba de que todo quedase aclarado. El poli se volvió violentamente hacia Bert.

—¡Muy bien, señor! ¡Quiero que me dé el número de su licencia! Voy a acusarlo por... por... ¿dónde está el tablero?

—¿Qué tablero?

—¡Maldita sea, no me venga con esa mierda! ¡El tablero que estaba justo aquí en la barra... con el que este tipo estaba jugando! ¡O me lo da o yo mismo lo encontraré!

Bert tomó un trapo y se puso a limpiar la barra.

—Suelo hacer limpieza a esta hora del día —dijo—. Retiro las chatarras y las tiro al triturador de basura. No puedo asegurarle que haya visto algún tablero, aunque si había uno aquí...

—¡Lo ha tirado! ¿Cree que va a salirse con la suya?

—¿Y no es así? —dijo Bert.

El poli comenzó a tartamudear furiosas incoherencias.

—¡Se va a enterar, por Dios que se enterará! —Y volviéndose hacia Roy—: ¡Usted también, señor! ¡No crea que me la ha pegado! ¡Voy a estar al acecho y la próxima vez que pise esta ciudad...!

Giró sobre sus talones y salió a paso airado del bar. Sonriendo, Roy volvió a sentarse en su taburete.

—Parece como si estuviera picado por algo, ¿no? —dijo—. ¿Qué te parece otra cerveza?

—No —respondió Bert.

—¿Qué? Oye, mira, Bert, siento que te causara problemas, pero el tablero era tuyo. Yo no...

—Ya lo sé. El error fue mío. Pero nunca cometo el mismo error dos veces. Y ahora quiero que te largues y que no vuelvas más por aquí.

Entró otro cliente al local y Bert se fue a atenderlo. Roy se levantó y se fue.

La deslumbrante luz del sol le dio de lleno en la cara, doblando su efecto por el contraste con el bar fresco y en penumbra. La cerveza fría —¿cuánta había bebido?— se agitó en su estómago y luego poco a poco volvió a asentarse.

En modo alguno estaba borracho. Jamás se emborrachaba. Pero no sería inteligente regresar a La Jolla sin comer.

Había un pequeño restaurante en la esquina, donde se tomó un plato de sopa y dos tazas de café solo. Con sorpresa se percató de la hora que era cuando se marchaba: la una y cinco. Buscó a su alrededor un teléfono. Pero no había ninguno, ni tampoco encontró una cabina, así que se dirigió al coche.

Decidió que seguramente sería mejor no llamar a Moira. La policía la habría llamado y no le apetecía darle explicaciones por teléfono.

Descendió la enorme colina hasta Mission Valley y después

tomó la carretera de la izquierda que conducía hasta la costa. Se tardaba unos veinte minutos en llegar a La Jolla, veinticinco en alcanzar las afueras. Entonces estaría de vuelta en el hotel con Moira y le explicaría en tono despreocupado que el problema con la pasma había sido un...

¿Error de identidad? No, no. Algo más vulgar, la consecuencia lógica de una circunstancia inocente. El coche, por ejemplo, era un coche alquilado. La última persona que lo había utilizado estaba mezclada en una seria infracción de tráfico. Había huido, digamos, de la escena de un accidente. Así que la policía vio el coche aquella mañana...

Bueno, claro, la historia presentaba inconsistencias, la policía tenía que saber que se trataba de un coche alquilado por la matrícula. Pero a él no le correspondía explicar eso. Él había sido la víctima de un error policial. ¿Quién entendía esos errores?

«Una mañana a tope —pensó—. El tablero era de Bert. ¿Por qué tenía que mosquearse conmigo? ¿Y a mí qué demonios me importa lo que crea un camarero?».

Cerca del cruce con Pacific Highway el tráfico se hizo más denso, y al llegar a la carretera de la costa ya estaba atascado en un nudo de cuatro carriles que dos polis luchaban por deshacer. Tal aglomeración no encajaba en el patrón normal de un lunes de San Diego. El tráfico no estaba tan mal ni durante los cambios de turno en la fábrica aeronáutica; además, tampoco era la hora.

Los vehículos se deslizaban lentamente, el de Roy inmerso entre ellos. Casi una hora más tarde, cerca de Mission Beach, salió de la carretera para entrar en una estación de servicio. Y allí se enteró del motivo de la congestión.

Los caballos corrían en Del Mar. Era el comienzo de la temporada local de carreras de caballos.

En otros treinta minutos el tráfico se hizo menos denso, así que se incorporó y alcanzó La Jolla veinte minutos más tarde. Llegaba con mucho retraso y al entrar en el hotel llamó a Moira desde el vestíbulo. No hubo respuesta, pero había dejado un mensaje para él al encargado.

—Oh, sí, señor Dillon. Me rogó que le comunicase que se había ido a las carreras.

—¿Las carreras? —Roy frunció el ceño—. ¿Está seguro?

—Sí, señor. Pero solo iba a quedarse hasta la mitad del programa del día. Dijo que regresaría temprano.

—Ya veo —asintió Roy—. A propósito, ¿llamó la policía preguntando por mí hace un par de horas?

El empleado admitió con delicadeza que sí, añadiendo que también habían llamado a la señora Langtry.

—Naturalmente, hemos dado las mejores referencias sobre usted, señor Dillon. No habrá sido... nada serio, espero.

—Nada, gracias —dijo Roy, y subió a su habitación.

Permaneció un buen rato mirando a través de los ventanales, contemplando el mar brillante bajo el sol. Después, con los ojos ligeramente doloridos, se tendió en la cama dejando que sus pensamientos vagasen a su libre albedrío. Penetró en ellos para ensamblarlos con recelo e instinto hasta que formaron un patrón uniforme.

Primero estaba la curiosidad sobre su modo de vida y el trabajo que hacía. ¿Por qué permanecía año tras año en un lugar como el Grosvenor-Carlton? ¿Por qué seguía estancado año tras año en un empleo de vendedor a comisión? Después estaban las sutiles quejas acerca de su relación. En realidad no se «conocían», necesitaban «conocerse mejor». Por ese motivo había organizado la excursión: para conocerse mejor. ¿Y cómo pasaba ella el tiempo? Bueno, pues dejándolo solo a la menor ocasión que se le presentaba y luego sentándose tranquilamente a verlas venir.

Así que estaba al tanto; debía estarlo. Lo sucedido aquel día lo demostraba.

La policía la había llamado preguntando por él y, sin embargo, no estaba en absoluto preocupada. Tenía la seguridad de que no habría problema, pues su tapadera llevaba años funcionando y así continuaría fuera cual fuese el problema. Así que como ya había averiguado todo lo que necesitaba, se había ido a las carreras.

Las carreras...

Bruscamente se sentó con gesto ceñudo; su ligera irritación con ella se había transformado en rabia.

Se había encargado de posponer al máximo la excursión a La Jolla. Después de desear tanto ese viaje, lo retrasaba sin explicación aparente... hasta aquella semana.

Porque empezaban las carreras en Del Mar. Las pistas en Los Ángeles quedaban temporalmente cerradas e inactivas.

O... tal vez no. No podía estar del todo seguro de que Moira se dedicara a curiosear en los asuntos de Lilly al igual que había curioseado en los de él. Puede que solo estuviera ofendida por haberla dejado sola tanto tiempo y se hubiera ido a las carreras como modo de expresar su descontento.

Moira regresó al hotel sobre las cuatro, quejándose en tono festivo de la incomodidad del paseo en coche, fingiendo ponerle mala cara a Roy por haberse ido sin ella.

—Pensé que te daría una lección, ¡grandísimo canalla! No estarás furioso, ¿no?

—No estoy muy seguro. Tengo entendido que la poli te llamó preguntando por mí.

—Ah, eso. —Se encogió de hombros—. ¿Y cuál era el problema?

—¿No se te ocurre nada?

—Bueno... —Comenzó a retraerse un poco. Acercándose a la cama se sentó con cautela a su lado—. Roy, llevo mucho tiempo intentando hablar contigo. Pero antes quería asegurarme de que...

—Corta el rollo —dijo Roy sin miramientos—. ¿Has visto a Lilly en las carreras?

—¿Lilly? Ah, quieres decir tu madre. ¿No vive en Los Ángeles?

Roy le contestó que así era.

—Pero las pistas de Los Ángeles cerraron la semana pasada, así que debe de estar aquí, en Del Mar, ¿no te parece?

—¿Cómo voy a saberlo? ¿Adónde quieres ir a parar? —se quejó ella. Se puso en pie y él la sujetó asiéndola por el vestido.

—Voy a preguntártelo de nuevo. ¿Has visto a Lilly en las pistas de Del Mar?

—¡No! ¿Cómo iba a verla? ¡Me senté en el club!

Roy mostró una leve sonrisa y le indicó su metedura de pata.

—Y Lilly no se sentaría en el club, ¿no? ¿Cómo sabías eso?

—Porque... —Se ruborizó por la culpabilidad—. Muy bien, Roy, la he visto. Estaba fisgando. ¡Pero no es lo que tú te crees! Solo sentía curiosidad por ella, quería saber a qué había venido a Los Ángeles. ¡Como siempre era tan grosera conmigo, sabía que te pondría contra mí a la menor oportunidad que se le presentase! Pensé que quién se creía ella para sentirse tan superior y poderosa. Hablé con un amigo mío de Baltimore y...

—Ya veo. Debes de tener unos amigos que están muy enterados.

—Roy —dijo en tono suplicante—. No te enfades conmigo. No sería capaz de hacerle daño, como tampoco te lo haría a ti.

—Mejor que no lo intentes nunca —advirtió él—. Lilly viaja con una compañía demasiado peligrosa.

—Lo sé —asintió con sumisión—. Lo siento, querido.

—¿Y Lilly no te ha visto a ti?

—Oh, no. No he andado por ahí, Roy, en serio. —Lo besó y sonrió mirándole a los ojos—. Bueno, y nosotros...

—Sí —asintió—. Ya podemos regresar a Los Ángeles, ¿no? Ya has averiguado lo que querías saber.

—Mira, cariño, no te lo tomes así. Lo sé hace mucho tiempo. Solo esperaba una buena oportunidad para hablar contigo.

—Bueno, ¿y qué es lo que sabes de mí?

—Sé que eres un manipulador del timo corto. Y, al parecer, muy bueno.

—Bien, veo que conoces el vocabulario. ¿Cuál es tu campo?

—El grande, el timo a gran escala.

Él asintió, esperó. Ella se arrimó a él tomando su mano y posándola sobre su pecho.

—Formaríamos un equipo de primera, Roy. Pensamos igual, nos llevamos bien. Mira, querido, ¡podríamos trabajar dos meses y vivir a tope el resto del año! Yo...

—Espera —dijo él mientras la apartaba amablemente—. No hay que precipitarse, Moira. Esto requiere que lo hablemos a conciencia.

—Bueno. Pues entonces hablemos.

—Aquí no. No hemos venido aquí por negocios.

Ella buscó su cara y su sonrisa se desvaneció ligeramente.

—Ya veo —dijo—. Te resulta duro rechazarme aquí. Resultará más fácil en terreno conocido.

—Eres lista —reconoció Roy—. Tal vez seas demasiado lista, Moira. Pero yo no he dicho que lo rechazara.

—Bueno... —Se encogió de hombros y se levantó—. Si lo quieres así...

—Lo quiero así —dijo.

20

Tomaron el tren de las seis de vuelta a Los Ángeles. Iba lleno, como el tren en el que habían llegado, pero la composición del pasaje resultaba distinta. Estos pasajeros eran principalmente hombres de negocios, gente que tras terminar su larga jornada en San Diego regresaba a sus hogares en Los Ángeles, u otros que vivían en San Diego y tenían que estar en Los Ángeles por la mañana temprano. Luego estaban unos pocos que habían prolongado el fin de semana y se enfrentarían a reproches o a algo peor cuando llegaran a la metrópoli californiana.

Definitivamente, el espíritu vacacional estaba ausente. Una especie de melancolía impregnaba el tren, y parte de ella envolvía a Moira y a Roy.

Tomaron una copa en la cafetería medio vacía. Después, al enterarse de que el tren no disponía de comedor, permanecieron allí el resto del trayecto. Sentados en la confortable intimidad de una mesa privada, el muslo de ella se apretaba afectuosamente contra el de él mientras contemplaba la lastimera soledad del mar, las desnudas y anhelantes colinas, las casas firmemente cerradas a todo lo que no fuera ellas mismas. La idea que le había propuesto a Roy, algo que era un mero deseo, se convirtió en un objetivo imprescindible, algo que debía convertirse en realidad.

No podía continuar como en años anteriores, supliendo la falta de capital con su cuerpo, intercambiando el uso de su cuerpo por el sustento que este necesitaba. No le quedaban muchos años.

El cuerpo inevitablemente gastaba más de lo que recibía. Cuantos menos años quedaban, a más velocidad se mermaba la carne. Así que era hora de poner fin a una etapa. Poner fin a la carrera consigo misma. La mente se rejuvenecía por el uso, su entusiasmo aumentaba con las demandas de su propietario, ansiosa y capaz de proveer al cuerpo que le daba cobijo, de empaparlo de su propia juventud y vigor, o algo bastante parecido. Y por todo ello, de ahora en adelante debía utilizar la mente. Los planes siempre lucrativos que la mente era capaz de concebir y llevar a la práctica. Su mente y la de Roy, ambas trabajando juntas como una, y el dinero que él podría aportar.

Tal vez lo había presionado demasiado. A ningún hombre le gustan las presiones. Quizá su interés por Lilly Dillon había sido una metedura de pata. Cualquier hombre es susceptible cuando se trata de su madre. Pero no importaba. Lo que sugería era justo y razonable. Sería bueno para ambos.

Así tenía que ser. ¡Y podía irse a la mierda Roy, si no...!

Roy hizo un comentario casual, dándole un ligero codazo para que contestara, y ella, indignada por sus propios pensamientos, se volvió hacia él con una expresión envejecida por el odio. Perplejo, Roy se apoyó nuevamente en su respaldo.

—¡Oye! ¿Qué te pasa?

—Nada. Solo estaba pensando en una cosa. —Sonrió quitándose aquella máscara tan deprisa que él no estaba seguro de lo que acababa de ver.

—¿Qué me decías?

Roy negó con la cabeza. Ya no se acordaba.

—Pero quizá debería enterarme antes de su nombre, señorita. El verdadero.

—¿Qué te parece Langley?

—Langley... —Meditó, sorprendido, por un instante—. ¡Langley! ¿Quieres decir el Granjero? ¿Formabas equipo con el Granjero Langley?

—Esa soy yo, colega.

—Vaya, vaya. —Dudó—. ¿Y qué fue de él en realidad? He escuchado un montón de historias, pero...

—Lo mismo que les ocurre a todos, quiero decir, a muchos de ellos. Sencillamente explotó: priva, droga, la rutina.

—Ya veo, ya veo —dijo él.

—Pero no tienes que preocuparte por él. —Se pegó más a él malinterpretando su actitud—. Todo eso se terminó. Ahora solo contamos nosotros, Moira Langtry y Roy Dillon.

—Aún está vivo, ¿no?

—Posiblemente. En realidad no lo sé —respondió ella.

Y podría haber añadido: «Ni me importa». Porque ese pensamiento la había asaltado de repente, aunque, a decir verdad, no para su sorpresa. No le importaba en absoluto porque él nunca le había importado. Era como si hubiera estado hipnotizada por él, arrollada por su personalidad, como les había ocurrido a otros, forzada a seguir su camino, a aceptarlo como el único camino posible. Sin embargo, subconscientemente siempre había resistido y resistido, amasando lentamente odio por haber sido forzada a llevar una vida que era completamente ajena a la que ella deseaba. ¿Qué clase de vida era aquella para una joven atractiva?

No es que lo tuviese todo claro, definido, que fuera consciente de ello. Pero en su fuero interno lo sabía, lo sabía y se sentía culpable por ello. Por eso, cuando llegó la catástrofe, intentó cuidarlo. Pero incluso eso había sido un medio de devolverle el golpe, el último y firme empujón al borde del abismo, y como subconscientemente lo sabía, se había sentido aún más culpable y obsesionada por él. Pero ahora que sus sentimientos habían alcanzado la superficie, se daba cuenta de que no había nada, ni jamás lo había habido, por lo que sentirse culpable.

El Granjero había recibido lo que se merecía. Cualquiera que la privara de algo que deseaba se merecía lo que él había obtenido.

Eran las nueve y cuarto cuando el tren llegó a Los Ángeles.

Cenaron en un buen restaurante de la estación. Después corrieron bajo la fina lluvia hasta el coche de Roy y fueron al apartamento de Moira.

Se desprendió enérgicamente de sus prendas de abrigo y se volvió hacia él con ambos brazos extendidos. Él la abrazó unos instantes, la besó, pero interiormente apartándose de ella, sutilmente cauteloso ante su forma de actuar.

—Y ahora —dijo ella atrayéndolo hacia el sofá—, ahora vamos a hablar de negocios.

—¿Ah, sí? —Se rio incómodo—. Antes de que empecemos tal vez sea mejor...

—Puedo juntar diez de los grandes sin problemas. Eso dejaría tu aportación en veinte o veinticinco. Hay un sitio en Oklahoma que está de primera si hay bastante hielo, tan bien como Fort Worth en los viejos tiempos. Podemos trasladarnos allí para montar una ferretería o algo así y...

—Espera —dijo Roy—. ¡Para el carro, chica!

—¡Es perfecto, Roy! Pon diez de los grandes para la tienda, diez para el hielo y otros diez para...

—¡He dicho que esperes! No tan deprisa —insistió él enfadándose un poco—. Aún no he dicho que me iba a unir a ti.

—¿Qué? —Lo miró sin comprender, un ligero destello asomaba a sus ojos—. ¿Qué has dicho?

Él se lo repitió suavizándolo con una amplia sonrisa.

—Hablas de cifras muy altas. ¿Por qué crees que yo tengo todo ese dinero?

—¡Debes tenerlo! ¡Seguro que lo tienes! —Le sonrió con firmeza; una profesora regañando a un niño travieso—. Vale, sabes que lo tienes, Roy.

—¿Lo tengo?

—Sí. Te he visto trabajar en el tren, el tío más hábil que he visto jamás. Esa maña no se aprende de la noche a la mañana. Se tarda años, y tú llevas años haciéndotelo sin problemas, tirándote el rollo de Menganito el honrado y por detrás pringando a los primos...

—Y yo también he pringado lo mío. Dos veces en menos de un par de meses. Lo bastante como para tener que ingresar en el hospital aquí, y hoy en San Diego...

—¿Y qué? —No hizo caso de la interrupción—. Eso no cambia nada. Lo único que demuestra es que ya va siendo hora de que te menees, de que subas hasta donde está la pasta gansa y no tengas que jugarte el cuello todos los días.

—Tal vez me guste donde estoy.

—¡Pues a mí no! ¿Qué intentas venderme, eh? ¿Qué puta bola me intentas colar?

La contempló fijamente sin saber si reírse o enfadarse, moviendo nerviosamente los labios. Nunca había visto a aquella mujer. Nunca la había escuchado antes.

La lluvia susurraba en la ventana. Desde la distancia llegaba el débil chirrido de un ascensor. Y junto a él, junto a aquellos sonidos, el de la pesada respiración de ella, fatigada, furiosa.

—Será mejor que me largue —concluyó—. Ya hablaremos otro día.

—¡Vamos a hablar ahora mismo! ¡Por Dios que sí!

—Entonces no hay nada de que hablar, Moira —dijo con tranquilidad—. La respuesta es no.

Se puso en pie. Ella saltó también de su asiento.

—¿Por qué? —le preguntó inquieta—. ¡Dime por qué, maldito seas!

Roy asintió, un brillo apareció en su mirada. Le dijo que la mejor razón que se le ocurría era que ella le daba un miedo de muerte.

—He visto gente como tú antes, nena. Duros y retorcidos como un tornillo. Obtienen lo que desean o si no... Pero tarde o temprano no acaban saliéndose con la suya.

—¡Tonterías!

—Bueno, así son las cosas. Tarde o temprano les alcanza un rayo, cielo. No quiero estar cerca cuando te alcance a ti.

Se dirigió a la puerta. Con mirada salvaje y rostro enrojecido por la rabia, ella se precipitó a cortarle el paso.

—Se trata de tu madre, ¿verdad? ¡Claro que sí! Que todo quede en familia, ¿no? ¡Por eso actuáis de un modo tan extraño el uno con el otro! ¡Por eso vivías en su apartamento!

—¿Qué? —Se detuvo en seco—. ¿Qué estás insinuando?

—¡No te hagas el inocente, joder! ¡Tú y tu propia madre! ¡Conozco tu juego, debería haberme dado cuenta antes! ¡Cerdo hijo de puta! ¿Cómo es? ¿Te gusta...?

—¿Disfrutas con lo que estás haciendo? —dijo Roy.

De repente le dio una bofetada y luego otra con el reverso de la mano. Ella se tambaleó. Se lanzó sobre él sacándole las uñas y Roy la tomó por el pelo y la arrojó al suelo.

La miró un poco sorprendido mientras ella levantaba su enrojecido rostro hacia él.

—¿Ves? —le dijo—. ¿Ves por qué no funcionaría, Moira?

—¡Asqueroso hijo de puta! ¡Te vas a enterar!

—Lo siento, Moira. ¿Buenas noches y buena suerte?

21

Al llegar a la acera se entretuvo brevemente antes de entrar en el coche, saboreando la lluvia que caía sobre su rostro, complacido por su frescura y limpieza. Ahí estaba la normalidad, algo elemental y honesto. Se alegraba mucho de encontrarse allí fuera bajo la lluvia en vez de arriba en el apartamento con ella.

De vuelta en el hotel, permaneció despierto, tendido en la cama pensando en Moira, sorprendido de lo poco que le importaba perderla.

¿Se trataba simplemente del final de algo que deseaba hacía mucho? Eso parecía. Era como si lo esperara. Podía ser que su fuerte atracción por Carol hubiera actuado como reacción a Moira, un intento por ligarse a otra mujer y así desligarse de ella.

Carol...

Se agitó nervioso y la apartó de su mente. Tenía que hacer algo al respecto, decidió. Algún día, muy pronto, de algún modo, tendría que aclarar las cosas con ella.

En cuanto a Moira...

Frunció el ceño y estuvo a punto de quedarse dormido. Luego se relajó moviendo la cabeza. No, no había peligro en ese sentido. Se había puesto furiosa y la había sacado de sus casillas; seguramente ya se estaría arrepintiendo. De cualquier modo, no existía nada que ella pudiera hacer ya y era demasiado lista para intentarlo. Su posición era muy poco sólida. Todo indicaba que se encontraba absolutamente expuesta a llevarse un gran tortazo.

Se durmió profundamente. Como había dormido poco la noche anterior, descansó bien. Eran más de las nueve cuando se despertó.

Saltó de la cama sintiéndose pletórico y lleno de energía. Se dispuso a hacer planes para el día mientras alcanzaba su bata. Entonces, lentamente, con tristeza, volvió a sentarse. Porque allí estaba de nuevo, igual que la semana anterior. Allí estaba de nuevo, todavía enfrentado al vacío, excluido de su trabajo como vendedor, excluido de cualquier actividad. Cara a cara con un día, una interminable serie de días sin nada que hacer.

Angustiado, maldijo a Kaggs.

Se maldijo a sí mismo.

Una vez más, esperanzadoramente desesperanzado, al bañarse y afeitarse, al vestirse y salir para desayunar, intentó vislumbrar el escape de aquel callejón sin salida. Y de su mente surgieron las mismas dos respuestas, ambas absolutamente inaceptables.

Una: podía aceptar el empleo como jefe de ventas, aceptarlo sin más rodeos y dejar el timo. O dos: podía largarse de la ciudad e irse a otra, comenzar de nuevo como ya había hecho al llegar a Los Ángeles.

Cuando terminó de desayunar, se metió en el coche y empezó a conducir sin rumbo, el modo más agotador de conducir. Cuando se volvió insoportable, y sucedió muy pronto, se arrimó a la acera y aparcó.

Impacientemente, su mente retomó aquel problema imposible.

Kaggs, pensó amargamente. Ese maldito Perk (de Percival). ¡Kaggs! «¿Por qué no podía haberme dejado en paz? ¿Por qué tenía que estar tan jodidamente seguro de que yo...?».

Aquel fútil pensamiento se interrumpió. Su gesto malhumorado se desvaneció y una lenta sonrisa asomó a sus labios.

Kaggs era un hombre de iniciativas repentinas, un hombre que decidía deprisa. Así que seguramente olvidaría sus decisiones con la misma rapidez con que las tomaba. No admitiría incongruencias de nadie. Si se le daban motivos suficientes, y sin disculpas, retiraría su oferta para el trabajo de jefe de ventas con tanta velocidad como se lo había propuesto.

Roy lo llamó desde una cafetería cercana. Le habían prohibido trabajar por algún tiempo (órdenes del médico), le dijo, pero tal vez a Kaggs le apeteciera almorzar con él. Este respondió que rara vez salía a comer. Generalmente se llevaba un bocadillo a la oficina.

—Pues tal vez debas empezar a salir —dijo Roy.

—Ah, ¿quieres decir por mi úlcera? Bueno...

—Quiero decir por tu temperamento. Te ayudaría a llevarte mejor con la gente.

Sonrió fríamente escuchando el abrumador silencio que reinaba en la comunicación. Entonces Kaggs dijo en tono afable:

—Bien, puede que tengas razón. ¿Te va bien a las doce?

—No, no me va bien. Suelo comer a la una.

Kaggs le respondió que muy bien, que también era mejor para él.

—A la una en punto entonces. En ese sitio al otro lado de la calle.

Roy colgó. Le dio vueltas a la posibilidad de llegar tarde a la cita, pero decidió que no. Eso sería sencillamente mala educación, una grosería. No lograría nada excepto levantar las sospechas de Kaggs.

Tal vez ya había abusado un poco del ejercicio de la brusquedad.

Llegó al restaurante un poco antes de la una. Comieron en una pequeña mesa situada en la parte trasera del establecimiento, y de algún modo el encuentro se pareció mucho al primero. De algún modo, para disgusto de Roy, el sentimiento de camaradería creció entre ambos. Al final de la comida, Kaggs hizo algo sorprendente, al menos para él. Extendiendo su brazo, le dio a Roy una vergonzosa palmada de ánimo en el hombro.

—Te sientes fatal, ¿eh, chico? Como para morderte las uñas.

—¿Qué? —Roy lo miró con cara de sorpresa—. ¿Qué te hace pensar eso?

—Es lógico; yo también me sentiría mal. Cuando un hombre pasa mucho tiempo sin hacer nada, termina por volverse chiflado. ¿Por qué no te acercas hasta la oficina conmigo? Así te familiarizas un poco con el tinglado.

—Bueno, estás ocupado y yo...

—Pues te pongo a trabajar también. —Kaggs se levantó sonriente—. Lo digo en broma, claro. Puedes ir a echar un vistazo a los archivadores de los vendedores. Haces lo que te plazca y te largas cuando te apetezca.

—Bueno... —Roy se encogió de hombros—. ¿Por qué no?

La pregunta era retórica; no se le ocurría ninguna razón válida para negarse. Por lo mismo, al encontrarse en el despacho de Kaggs en Sarber & Webb se vio forzado a aceptar el archivador que este le mostró, a simular al menos un poco de interés en sus múltiples fichas.

Con resentimiento se vio a sí mismo como una víctima del despotismo de Kaggs. Este había vuelto a tomar el mando sobre él, como ya hiciera la primera vez. Pero eso no era del todo cierto. Para ser más exactos, él era su propia víctima, su propio esclavo. Había convertido la personalidad en una profesión, había hecho carrera a base de endurecerse a sí mismo. Y no podía ya alejarse más, ni por más tiempo, del ser que había construido con sus propios esfuerzos.

Hojeó aquellas fichas sin verlas en realidad.

Después comenzó a fijarse en ellas, a descifrar el significado que encerraban. Se convirtieron en gente y dinero, en vidas. Y con gran atención las sacó una a una del archivador y las extendió sobre la mesa.

Tomó un lápiz y una libreta de papel rayado y...

Mientras trabajaba, Kaggs lo miraba a hurtadillas de vez en cuando, y una presuntuosa sonrisa aparecía en sus labios. Transcurrieron un par de horas. Kaggs se levantó de su asiento y se acercó a la mesa de Roy.

—¿Cómo va eso?

—Siéntate —le dijo Roy. El otro obedeció—. Creo que este sistema de archivo es completamente erróneo, Perk. No tengo la intención de pisotear el trabajo de nadie, pero...

—Pisotéalo. Aquí no hay nada sagrado.

—Bueno, es confuso, una pérdida de tiempo. Mira, por ejemplo, a este hombre de aquí. Sus ventas en bruto de una semana suman ciento cincuenta dólares. Su comisión, aquí en esta columna, asciende a ochenta y un dólares. ¿Cuál es su porcentaje por las ventas de la semana?

—Tendría que calcularlo. Aproximadamente, sería un ocho por ciento.

—No necesariamente. Depende de lo que haya vendido. Es posible que haya algo por lo que puede haber sacado un veinticinco por ciento. Lo que interesa es qué demonios ha vendido, qué cantidad es material de choque, artículos que deben venderse para competir.

Kaggs lo miró fijamente, dudando.

—Bueno, claro, están las facturas de sus ventas. A partir de ahí se calculan sus comisiones.

—Pero ¿dónde están esas facturas?

—Una copia va para contabilidad, otra para el inventario y, por supuesto, el cliente recibe una cuando compra.

—¿Por qué necesita el inventario una copia? La mercancía se registra cuando sale del almacén, ¿no es así? Al menos eso sería lo correcto. Y si no es así, una de esas copias no sirve para nada. Donde la necesitas es aquí, en el archivador del vendedor.

—Pero...

—Evidentemente, no en uno como este. No hay bastante espacio. Pero eso no tiene por qué ser así. No tenemos tantos vendedores como para que no se pueda abrir un archivador independiente para cada uno. Se le puede asignar a cada hombre una sección del archivo.

Kaggs se rascó la cabeza.

—Mmm —murmuró—. Bueno, tal vez.

—Tiene que hacerse, Perk. Es necesario si quieres tener una idea clara de lo que pasa. Adjunta las facturas de compra a cada vendedor y sabrás qué hombres están vendiendo y cuáles chupando del bote. Pedidos-compras. Sabrás qué artículos se mueven, qué artículos necesitan empuje y a cuáles hay que dejar de dedicarse. Por supuesto que ahora también llegas a enterarte de todo ello, pero esperar puede costarte un montón de dinero y...

Roy se interrumpió bruscamente, avergonzado de repente por su tono de voz y sus palabras. Movió la cabeza, consternado, como alguien que acaba de despertar.

—Fíjate —dijo—. Acabo de llegar y ya estoy criticando todo el sistema.

—Pues sigue criticándolo. ¡Limpia toda la mierda que hay! —Kaggs le dedicó una radiante sonrisa—. Bueno, ¿y cómo te sientes? ¿Cansado? ¿Quieres dejarlo por hoy?

—No. Estoy bien. Pero...

—Bueno, pues entonces manos a la obra. —Kaggs acercó su silla y tomó un bolígrafo—. ¿Qué te parecería si...?

Transcurrió una hora.

Dos horas.

En los despachos exteriores una de las empleadas se volvió con expresión de sorpresa hacia otra.

—¿Has oído eso? —susurró—. ¡Se ha reído! ¡El viejo Kaggs el Guindilla riéndose a carcajadas!

—Lo he oído —dijo la otra muy seria—, pero no me lo puedo creer. ¡Ese tipo no sabe reírse!

A las cinco y media de la tarde la telefonista conectó los contestadores automáticos y cerró la centralita. El resto de las oficinas quedaron a oscuras y en silencio cuando el último de los empleados salió. Y a las seis, cuando los trabajadores de la planta baja salieron tras escuchar las sordas campanadas, la oscuridad y el silencio fueron absolutos.

A las ocho en punto...

Perk Kaggs se quitó las gafas y se frotó los ojos. Miró a su alrededor pestañeando distraído. Una expresión de asombro invadió su rostro. Después de soltar una exclamación de sorpresa, se puso en pie.

—¡Dios mío! ¡Mira qué hora es! ¿Adónde demonios se ha ido el día?

—¿Qué? —Roy frunció el ceño—. ¿Qué sucede, Perk?

—¡Vamos, ya estás saliendo de aquí! ¡En este mismo instante, maldita sea! ¡Dios mío! —exclamó Kaggs de nuevo—. ¡Te digo que te acerques hasta aquí un rato y tú vas y al final haces una jornada completa!

Cenaron juntos.

Cuando ya se despedían, Kaggs le lanzó una penetrante mirada interrogadora.

—Sé sincero conmigo, Roy —dijo con firmeza—. Quieres el empleo, ¿no? ¿Quieres ser jefe de ventas?

—Bueno, pues... —Roy estuvo dudando durante unas décimas de segundo.

Allí estaba. Su oportunidad para rechazarlo. De repente era consciente de que podía rechazarlo sin disculpas ni explicaciones. Podía decir sencillamente que no, que no lo quería, y eso sería todo. Podía retomar su antigua vida en el punto que la había dejado. Porque algo había sucedido entre él y Kaggs, algo que los convertía en amigos. Y los amigos no cuestionan los motivos de las decisiones.

—Pues claro que lo quiero —respondió en tono seguro—. ¿Qué te ha hecho pensar lo contrario?

—Nada. Solo pensaba que... nada. —Kaggs volvió a adoptar su habitual aire enérgico—. A la mierda con el rollo y a la mierda contigo. ¡Vete a casa y duerme un poco! ¡Y no asomes las narices por el almacén hasta que el médico lo diga!

—Tú eres el jefe —sentenció Roy con una sonrisa—. Buenas noches, Perk.

En el trayecto en coche hasta su hotel comenzó a razonar su decisión, a intentar encontrar alguna enrevesada razón para lo que acababa de hacer. Pero se le pasó muy pronto. ¿Por qué no iba a aceptar un trabajo que le apetecía aceptar? ¿Por qué no iba a desear tener un amigo, uno de verdad, si antes no había tenido ninguno?

Aparcó el coche y entró en el hotel. El anciano encargado nocturno lo detuvo.

—Lo han llamado por teléfono esta mañana, señor Dillon. Su madre.

—¿Mi madre? —Roy hizo una pausa—. ¿Por qué no me ha pasado el recado a mi trabajo?

—Iba a hacerlo, señor, pero ella dijo que no tenía importancia. Supongo que podía esperar.

Roy fue hasta un teléfono y llamó al apartamento de Lilly. Colgó al instante, sorprendido, intranquilo.

Lilly se había marchado. Se había despedido de su apartamento sin dejar otra dirección.

Subió a su habitación. Con el ceño fruncido se desnudó y se tumbó en la cama. Durante un rato se revolvió preocupado. Después se fue relajando poco a poco hasta quedarse medio dormido.

Lilly sabía cuidar de sí misma. Podía existir..., debía de existir alguna razón sencilla para que se hubiese mudado tan repentinamente.

Del Mar... Seguro que se había trasladado allí para las carreras de caballos. O puede que hubiera encontrado un apartamento mejor en la ciudad y hubiera tenido que mudarse allí sin demora. O tal vez Bobo Justus había vuelto a requerir sus servicios en Baltimore.

Se quedó dormido.

Después de lo que le pareció un instante se despertó.

La luz del sol invadía la estancia. Era más de media mañana. Tenía conciencia de que el teléfono había estado sonando durante largo rato. Ahora estaba en silencio, pero su eco permanecía en sus oídos. Alargó el brazo para cogerlo, con los sentidos embotados, aún preso del estupor del sueño. Llamaban a la puerta con golpes firmes.

Se levantó y la abrió un poco, lo suficiente como para ver. Parpadeó ante el hombre que había al otro lado. Este se identificó, manifestando el motivo de su visita con pesar profesional, disculpándose por las noticias que le traía. Roy abrió la puerta de par en par.

Y permaneció allí, de pie, negando con la cabeza mientras el hombre entraba.

No, gritaba en silencio. ¡No era verdad! ¡Seguro que era un estúpido error! ¡Lilly no podía estar en Tucson! ¿Por qué...? ¿Por qué...?

Lo repitió en voz alta, mirando con ferocidad a su visitante. El hombre apretó los labios reflexivamente.

—¿No sabía que se encontraba en Arizona, señor Dillon? ¿No le comunicó adónde iba?

—¡Pues claro que no! ¡Porque no ha ido allí! Yo... yo... —Dudaba a la vez que el recelo cobraba consistencia—. Bueno, es que mi madre y yo no estábamos muy unidos. Cada uno hacía su vida. Llevaba casi ocho años sin verla cuando vino aquí hace unas semanas, pero...

—Lo comprendo —asintió el hombre—. Encaja perfectamente con nuestra información.

—Pero no puede ser. Seguro que están cometiendo un error —insistió Roy con tenacidad—. Tiene que tratarse de otra persona. Mi madre nunca...

—Me temo que no, señor Dillon. Fue con su propia pistola,

registrada a su nombre. El propietario del parador turístico recuerda que parecía muy turbada. Por supuesto, resulta un tanto extraño que empleara una pistola con silenciador para..., para algo así. Pero...

—¡No puede ser! ¡No tiene sentido!

—Nunca lo tiene, señor Dillon. Nunca lo tiene cuando alguien se suicida.

22

El hombre era un poco calvo, de complexión fuerte y con cara rechoncha y honesta. Se llamaba Chadwick y era agente del Departamento del Tesoro. Evidentemente, se sentía un tanto incómodo por encontrarse allí en una situación como aquella. Pero era su trabajo, por muy desagradable que pudiera ser, y tenía la intención de realizarlo. Sin embargo, abordó el asunto dando rodeos.

—Entenderá por qué he venido yo en vez de un policía local, señor Dillon. En realidad no es un asunto local, al menos en este punto. Me temo que más adelante habrá publicidad desagradable, cuando las circunstancias de la muerte de su madre se revelen. Una atractiva viuda con tanto dinero en su poder, en fin...

—Ya veo —dijo Roy—. El dinero.

—Más de ciento treinta mil dólares, señor Dillon. Escondidos en el maletero del coche. Mucho me temo que... —Decidió emplear un tono delicado—. Me temo que no fue muy rigurosa con los impuestos. Llevaba años falsificando sus ingresos.

Roy lo miró con ironía.

—El cuerpo fue descubierto esta mañana sobre las ocho, ¿verdad? Parece que no ha perdido el tiempo.

Chadwick se limitó a admitir que así era.

—Nuestra oficina no ha tenido tiempo para llevar a cabo una investigación minuciosa, pero las evidencias son incuestionables. Su madre no pudo ahorrar tanto dinero de los ingresos que declaraba. Ha estado engañando al fisco.

—¡Qué horror! Qué pena que no pueda meterla en la cárcel.

—¡Por favor! —Chadwick se estremeció—. Sé cómo se siente, pero...

—Lo siento —dijo Roy más calmado—. No estoy siendo justo. ¿Qué es lo que quiere de mí, señor Chadwick?

—Bien... Se me ha pedido que le pregunte si tiene la intención de presentar una reclamación por el dinero. Por supuesto, no es su obligación decírmelo. Seguramente querrá usted consultar a un abogado antes de decidir.

—No —respondió Roy—. No voy a presentar ninguna reclamación por el dinero. Ni lo quiero ni lo necesito.

—Gracias. Muchas gracias. Bien, no sé si podrá darme alguna información en cuanto a la fuente de los ingresos de su madre. Parece evidente, como comprenderá, que también ha existido evasión por parte de otros y...

Roy negó con la cabeza.

—Creo que sé tanto sobre los socios de mi madre como usted, señor Chadwick. —Con una sonrisa de medio lado añadió—: Seguramente usted sabe bastante más que yo.

Chadwick asintió solemnemente y se puso en pie. Dudando, sombrero en mano, miró a su alrededor. Y la aprobación asomó a sus ojos junto con una discreta preocupación.

El dinero de Lilly tenía que ser confiscado, murmuró, junto con su coche y todo lo que poseía. Pero Roy no debía pensar que el gobierno carecía completamente de escrúpulos en tales asuntos. Facilitaría el dinero necesario para su entierro.

—Imagino que deseará encargarse de los trámites personalmente. Pero si hay algo que yo pueda hacer para ayudar... —Sacó una tarjeta de visita de su cartera y la dejó sobre la mesa—. Si puede decirme cuándo le iría bien ir a Tucson, esto es, si va a ir, se lo notificaré a las autoridades locales y...

—Me gustaría ir ahora. En cuanto pueda tomar un avión.

—Déjeme ayudarlo —dijo Chadwick.

Tomó el auricular y llamó al aeropuerto. Habló enérgicamente, recitando un código del gobierno. Miró hacia Roy.

—Puede salir dentro de una hora, señor Dillon, ¿o es demasiado pronto?

—No, allí estaré —dijo Roy, y comenzó a vestirse.

Chadwick le acompañó hasta el coche y le dio un efusivo apretón de manos después de que Roy abriera la puerta.

—Le deseo buena suerte, señor Dillon. Hubiera preferido que nos hubiésemos conocido en circunstancias más felices.

—Usted se ha comportado bien —dijo Roy—. Y me alegro de que nos hayamos conocido, a pesar de todo.

Nunca había visto el tráfico peor que aquel día. Necesitó toda su concentración para abrirse paso, y se alegraba de aquel respiro que le daba ocasión de apartar su mente de Lilly. Llegó al aeropuerto diez minutos antes de la salida del vuelo. Tras recoger su billete corrió hasta la puerta que conducía al avión. Y entonces, movido por una repentina corazonada, se detuvo en una cabina telefónica.

Un minuto o dos después, salió de ella con una expresión irónica en su rostro, y con rabia en su corazón. Subió al avión. Era un avión de hélices, ya que el trayecto era relativamente corto: menos de novecientos cincuenta kilómetros. Mientras describía un círculo sobre la pista y ponía rumbo al sur, una azafata comenzó a servir las bebidas de antes del almuerzo. Roy pidió un bourbon doble. Se lo bebió recostado en su asiento y mirando por la ventanilla. Pero aquella copa resultaba insípida y su mirada se posaba sobre la nada.

Lilly. Pobre Lilly...

No se había suicidado. La habían asesinado.

Porque Moira Langtry también había dejado su apartamento el día anterior por la mañana sin dejar otra dirección.

Llevar una vida que se basa continuamente en hacer cálculos tiene sus ventajas. Cuando se lleva mucho tiempo haciéndolos, es posible llegar a conocer los de cualquier otra persona tan bien como los de uno mismo. La mayoría de las veces es como mirar a través de la misma ventana. Si se dan una serie de circunstancias, se sabe exactamente lo que la otra persona haría o lo que ha hecho.

De este modo, sin saber realmente lo ocurrido, cómo y por qué se había producido la muerte de Lilly, Roy sabía lo suficiente. Era capaz de imaginar una suposición que se acercaba increíblemente a la verdad.

Moira tenía un contacto en Baltimore. Y sabía que Lilly iría bien cargada. Como cualquier operador con éxito, habría acumulado una buena tajada de dinero que estaría siempre cerca de ella. En cuanto a la distancia, dónde podría estar escondido el dinero, Moira no lo sabía. Por mucho que lo buscase era posible que jamás lo encontrase. Por eso había que obligar a Lilly a poner pies en polvorosa, ya que en su carrera se llevaría consigo la pasta, reduciendo de este modo los posibles paraderos a su vecindad más inmediata.

¿Cómo hacer que pusiera pies en polvorosa? No había problema en ese punto. Porque una atemorizante sombra se ciñe sin tregua sobre los habitantes de la calle de la Intranquilidad. Se proyecta en los apretones de mano aparentemente amistosos o en un paquete de vistoso envoltorio. Se refleja desde el carrito del bebé, desde la silla del barbero, desde el salón de belleza. Todo vecino es sospechoso, cualquier extraño, cualquier persona, sin excepción. Incluso el propio marido o esposa o amante. No existe la tranquilidad en la calle de la Intranquilidad. Cuanto más se sostiene su alquiler, más insostenible se vuelve.

No era necesario atemorizar a Lilly, bastaba con darle una vuelta más a la tuerca. Y si se tenía un contacto en su base de operaciones, alguien que le hiciera una amistosa advertencia por teléfono...

Roy terminó la copa.

Se comió lo que la azafata le sirvió.

Cuando le retiraron la bandeja, se fumó un cigarrillo. Poco después, el avión descendía sobre el desierto y entraba en la pista de aterrizaje de Tucson.

Un coche de la policía lo estaba esperando. Fue conducido rápidamente a la ciudad, y un capitán de policía lo hizo pasar a un despacho para relatarle lo que sabía sobre los hechos.

—Se registró en el motel sobre las diez de la noche de ayer, señor Dillon. Es ese sitio grande con dos piscinas; ha pasado por allí de camino a la ciudad. El encargado nocturno dice que parecía algo alterada, pero creo que eso es irrelevante. La gente siempre recuerda que alguien actuaba, parecía o hablaba raro después de que le haya ocurrido algo. En fin, su madre dejó dicho que la llamaran a las siete y media, y al no contestar, una camarera se acercó a su habitación para ver qué pasaba y...

Lilly estaba muerta. Estaba tumbada en la cama en camisón. La pistola estaba en el suelo, al lado de la cama. A juzgar por su aspecto —Roy se estremeció—, se había metido el cañón en la boca y a continuación había apretado el gatillo.

No había desorden en la habitación, ni señales de pelea, ni mensaje suicida.

—Y creo que eso es todo lo que sabemos, señor Dillon —concluyó el capitán y, con despreocupada espontaneidad, añadió—: a menos que usted pueda contarnos algo.

Roy contestó con una negación, y era cierta. Únicamente podía decir lo que sospechaba, y tales sospechas solo lo perjudicarían y no probarían nada en contra de Moira. Le ocasionarían pequeñas molestias, como que la llamaran para interrogarla, pero la cosa no iría más lejos.

—No sé qué puedo contarle —dijo—. Tengo idea de que se rodeaba de gente que volaba muy alto, pero estoy seguro de que eso ya lo saben.

—Sí.

—¿Considera posible que no fuera suicidio?, ¿que alguien la asesinara?

—No. —El capitán frunció el entrecejo, dudando—. No puedo asegurarlo, no exactamente. Nada parece indicar que estemos ante un asesinato. Resulta un tanto extraño que se tomara la molestia de venir desde Los Ángeles para suicidarse y que se pusiera el camisón antes de hacerlo, pero bueno, los suicidios siempre son extraños. Yo creo que estaba muy asustada, tan asustada de que la mataran que perdió los nervios.

—Puede ser —asintió Roy—. ¿Cree que alguien la siguió hasta el hotel? Me refiero a la persona que la asustó.

—Es posible. Pero el hotel está en la carretera. Ya sabe, entra y sale gente a todas horas. Si el culpable era una de esas personas, resultaría casi imposible obtener su descripción, y a no ser que confesase lo de la amenaza de muerte, no veo cómo podríamos empapelarlo aunque la tuviéramos.

Roy murmuró su aprobación. Solo le quedaba una cosa que añadir, un pequeño empujón más hacia Moira que no dañaría su seguridad.

—Estoy seguro de que ya lo habrán pensado, capitán, pero ¿qué hay de las huellas dactilares? ¿No indicarían...?

—Huellas dactilares. —El policía sonrió tristemente—. Las huellas dactilares son para las historias de detectives, señor Dillon. Si espolvorease este despacho, tendría problemas para encontrar las mías. Se encontrarían seguramente cientos de huellas, y, a menos que supiera cuándo fueron hechas y a quién busco, no sé qué demonios iba a hacer con ellas. Aparte de eso, los criminales tienen la mala costumbre de usar guantes cuando trabajan, y muchos del grupo de lo peorcito no están ni fichados por la policía. A su madre, por ejemplo, nunca la habían pescado, ni tenía ficha. Lo siento... —añadió rápidamente—, no pretendía referirme a ella como a una criminal, pero...

—Lo comprendo —dijo Roy—. No se preocupe.

—Bien, hay unos cuantos objetos personales de su madre que seguramente querrá tener. Su anillo de boda y todo eso. Si me firma este recibo...

Roy lo firmó y le dieron un sobre de papel marrón. Se lo guardó en el bolsillo: los lamentables restos de los duros y ajetreados años de Lilly. El capitán lo acompañó hasta el coche de policía que le esperaba.

El depósito se encontraba en una bocacalle, un sobrio e imponente edificio de estuco blanco que resplandecía cegadoramente bajo el sol de la tarde. En el interior hacía un frío casi enfermizo. Roy temblaba ligeramente al entrar en una sala excesivamente perfumada. El encargado, al parecer avisado de su llegada, se acercó a él en señal de condolencia.

—Lo siento mucho, señor Dillon. Mi más sentido pésame. Aunque intentemos prepararnos para estos trágicos momentos...

—Estoy bien. —Roy retiró el brazo que el hombre le asía—. Quisiera ver el... a mi madre, por favor.

—¿No sería preferible que antes se sentara un momento? O tal vez le apetezca beber algo.

—No —respondió Roy con firmeza—. Adelante.

—Sería mejor, señor Dillon. Nos daría un poco de tiempo para... Bueno, en fin, debe comprenderlo. Debido a las inusuales circunstancias financieras, no nos ha sido posible, en fin, llevar a cabo las pertinentes tareas cosméticas. Los restos de los seres queridos... el rostro de su querida...

Roy lo cortó con brusquedad. Dijo que lo entendía y añadió, divertido por la mueca de disgusto del hombre, que era consciente de lo que una bala disparada en la boca podía hacerle al rostro de una mujer.

—Quiero verla ahora.

—¡Como desee, señor! —El hombre se puso en pie rápidamente—. ¡Tenga la bondad de seguirme!

Le condujo a una sala cubierta de baldosas blancas situada detrás de la capilla.

El frío era gélido allí. Una serie de cajones se insertaban en una de las relucientes paredes heladas. El hombre tomó una de las manillas metálicas y de un tirón deslizó el cajón sobre las guías. Con gesto ofendido retrocedió y Roy se adelantó hasta la plataforma para mirar.

Miró e instantáneamente apartó la mirada.

Comenzó a volverse, y entonces, lentamente, ocultando su sorpresa, hizo un esfuerzo por posar sus ojos de nuevo sobre la mujer del cajón.

Casi tenían la misma talla, el mismo tono de piel; sus cuerpos poseían la misma rellena pero delicada estructura ósea. ¡Pero las manos! ¡La mano! ¿Dónde estaba la atroz quemadura? ¿Dónde estaba la cicatriz que esa quemadura había dejado?

Bien, sin duda estaba en la mano de la mujer que había matado a aquella otra mujer. La mujer a quien Moira Langtry había intentado matar, y que, en cambio, la había matado a ella.

23

Era más de media tarde cuando el polvoriento Cadillac llegó al centro de la ciudad de Los Ángeles y aparcó a poca distancia de la entrada del Grosvenor-Carlton. Por un instante su conductora se apoyó con hastío sobre el volante, sin fuerzas por el agotamiento, sintiendo un ligero mareo por la noche en vela. Entonces, con resolución, levantó la cabeza y se quitó las gafas de sol para contemplarse a sí misma en el espejo.

Sus ojos estaban cansados, inyectados en sangre, pero no importaba. Sospechaba que los iba a tener muchísimo peor antes de que lograra salir sana y salva de todo aquel jaleo. Las gafas los cubrían, ayudando a la vez a disfrazar su rostro. Con las gafas puestas y el pañuelo alrededor de su cabeza y cubriéndole la barbilla, podía pasar perfectamente por Moira Langtry. Si lo había conseguido en aquel motel de Tucson, podía volver a hacerlo otra vez.

Hizo algunos ajustes más en el pañuelo cubriéndose ligeramente la frente. Después, dejando su cansancio a un lado, sometiéndolo a su voluntad, salió del coche y entró en el hotel.

El recepcionista la saludó con la ansiosa sonrisa del anciano. Escuchó su petición, más bien su orden, y un toque de indecisión tiñó su sonrisa.

—Bien, no sé, el señor Dillon está fuera de la ciudad, señora Langtry. Se fue a Tucson esta mañana y...

—Eso ya lo sé, pero estará de vuelta en apenas unos minutos.

Tengo que reunirme con él aquí. Y ahora, si es usted tan amable de darme la llave...

—Pero... pero... ¿no puede esperarlo aquí abajo?

—¡No, no puedo! —Extendió su mano imperiosamente—. ¡La llave, por favor!

Torpemente, sacó la llave del estante y se la dio. Siguiendo con la mirada sus contoneos hasta el ascensor, pensó sin amargura que el miedo era lo peor de hacerse viejo. La ansiedad que provocaba el miedo. Un hombre se daba cuenta de que ya no servía de mucho. Sí, ya lo creo que se daba cuenta. Y se daba cuenta de que su charla no siempre era muy animada, y ya no podía parecer agradable por mucho que lo intentara. Así que, aunque en el fondo sabía que era imposible complacer a todo el mundo, siempre lo intentaba. Y por eso cometía errores, uno tras otro. Hasta que finalmente no podía soportarse más de lo que los otros lo soportaban. Y se moría.

Pero tal vez, pensó esperanzado, tal vez aquello no estuviera mal hecho. Después de todo la señora Langtry y el señor Dillon eran buenos amigos. Y a veces las visitas esperaban en la habitación de un huésped cuando este estaba fuera.

Mientras tanto...

Al entrar en la habitación de Roy la mujer cerró la puerta con llave y se apoyó contra ella, descansando brevemente. A continuación, dejó sobre la cama las gafas y el enorme bolso a la moda y se dirigió con resolución a los cuatro cuadros de payasos. Habían llamado su atención desde el primer momento, añadían una nota discordante e incompatible con los conocidos gustos de su propietario. No estaban allí como objetos de decoración, así que debían de servir para otros propósitos. Y sin ver el simbolismo de los cuatro rostros de sabia sonrisa —Cloto, Láquesis, Átropos y el propio Destino—, había supuesto cuál era su propósito.

Tras forzar los dorsos de aquellos cuadros vio que su suposición era correcta.

Su contenido cayó en desorden, fajo tras fajo de dinero contante y sonante. Mientras atiborraba precipitadamente su bolso, le impresionó, contra su voluntad, la admiración que sentía por Roy. Debía de ser bueno para haber reunido aquella cantidad. Luego, ahogando la emoción, diciéndose a sí misma que el robo le vendría bien a Roy porque pondría en evidencia la infructuosidad del delito, concluyó la tarea.

Aunque el bolso era grande, la pasta abultaba. Casi no podía cerrarlo y no estaba convencida de que permaneciera cerrado.

Lo sopesó con el ceño fruncido. Se lo colocó bajo el brazo, echó un extremo de su estola por encima y comprobó su aspecto en un espejo. No estaba mal del todo, pensó. Nada mal. ¡Si el maldito bolso no se abría cuando atravesaba el vestíbulo...! Consideró la conveniencia de dejar un poco de dinero, pero rápidamente rechazó la idea.

¡Nanay! Necesitaba esa pasta, hasta el último maldito centavo y mucho más incluso.

Se echó un último vistazo en el espejo. Después, con el bolso firmemente sujeto bajo el brazo, avanzó hasta la puerta y abrió la cerradura. Y retrocedió con una exclamación de sorpresa.

—Hola, Lilly —dijo Roy Dillon.

24

Los principales detalles de la historia eran más o menos tal como Roy se había imaginado.

Primero se había producido la llamada de advertencia desde Baltimore. Después su frenética huida sin detenerse a reflexionar, como respuesta. Condujo sin descanso lo más lejos que pudo y, cuando no pudo más, se metió en aquel parador de Tucson.

El lugar tenía un garaje común en vez de plazas individuales, y eso no le había gustado. Pero estaba demasiado cansada para continuar, y como siempre había un empleado de guardia en el garaje, pensó que no había motivo para no pasar la noche allí.

Puso su pistola cargada bajo la almohada, se desvistió y se metió en la cama. Sí, naturalmente cerró la puerta con llave, pero eso tampoco tenía demasiada importancia. En esa clase de sitios, los moteles turísticos, se pierden muchas llaves, así que generalmente son intercambiables y sirven para todas las puertas. Y sin duda, aquel era el caso del motel.

En fin, se despertó horas más tarde cuando dos manos le apretaban el cuello. Manos que silenciarían cualquier grito que pudiera emitir mientras la estrangulaban. No pudo ver quién era; no le importaba. Le habían advertido que la matarían, ahora lo estaban haciendo y eso era todo lo que quería saber.

Sacó la pistola de debajo de la almohada. A ciegas la levantó hasta el rostro de su atacante. Y apretó el gatillo. Y... y...

Lilly se estremeció convulsivamente, su voz era entrecortada.

—¡Dios, Roy, no sabes lo que es eso! ¡Lo que significa matar a alguien! ¡Llevas toda la vida oyéndolo y leyéndolo, pero... pero cuando eres tú el que lo hace...!

Moira iba en camisón, un viejo truco de los intrusos nocturnos. Cuando los sorprenden en la habitación de otra persona, dicen simplemente que se han equivocado, que salieron de su habitación por cualquier motivo inocente y que, sin darse cuenta, al regresar entraron en otra equivocada.

En el bolsillo de Moira había una llave numerada, la llave de una habitación cercana. También tenía la llave de la habitación de Lilly. Dejaba entrever un plan bien pautado, sabía lo que debía hacer casi sin pensar.

Colocó a Moira en su cama. Borró sus propias huellas de la pistola y presionó los dedos de Moira en la empuñadura para que se grabaran las suyas. Pasó la noche en la habitación de Moira y por la mañana se despidió del hotel bajo el nombre de la otra, vistiendo sus ropas.

Naturalmente, no podía llevarse su propio coche. El coche y el dinero ocultos en él pertenecían ahora a Moira Langtry, ya que Moira era ahora Lillian Dillon, y Lilly, Moira Langtry. Y así debía ser para siempre.

—¡Vaya lío! Y todo para nada. Siempre me he guardado bien de Bobo, pero ahora que ha ocurrido... —Hizo una pausa—. Bien, tal vez sea un respiro para mí. Llevo años queriendo salir de este rollo, y ahora ya estoy fuera. Puedo empezar de cero y...

—Ya has empezado —dijo Roy—. Pero a mí no me parece que de cero.

—Lo siento. —Lilly se ruborizó por su culpabilidad—. Odio tener que llevarme tu dinero...

—No lo sientas —dijo Roy—. No te lo vas a llevar.

Durante un largo instante, un segundo de silencio que duró una eternidad, Lilly permaneció sentada contemplando a su hijo. Se parecían demasiado, pensó, y él tuvo el mismo pensamiento.

«¿Por qué no puedo hacerle comprender?», pensó Lilly. Y él pensó: «¿Por qué no puedo hacerla comprender?».

Vacilante, movida por la gélida inercia que crecía en su interior, se levantó y se fue al servicio. Se lavó la cara en el lavabo, se la secó suavemente con la toalla y bebió un trago de agua. Después, pensativa, volvió a llenar el vaso y se lo llevó a su hijo.

—Vaya, gracias —dijo él conmovido por la pequeña cortesía, desarmado por ella.

Y Lilly se dijo a sí misma: «Lo está pidiendo a gritos, le ayudé cuando estaba en apuros, y si intenta resistirse..., bueno, mejor que no lo intente».

—Necesito esa pasta, Roy —dijo—. Moira tenía una cartilla de un banco en su bolso, pero no me sirve de nada. No puedo arriesgarme a sacar la pasta. Solo llevaba encima unos cuantos cientos de pavos y ¿qué puñetas voy a hacer yo con eso?

Roy le respondió que podía hacer un montón de cosas. Unos cientos de pavos la llevarían hasta San Francisco u otra ciudad cercana. Le permitirían vivir un mes tranquila mientras se buscaba un empleo.

—¡Un empleo! —se quejó Lilly—. ¡Tengo casi cuarenta años y jamás he tenido un trabajo honrado!

—Puedes conseguirlo —dijo Roy—. Eres inteligente y atractiva. Hay infinidad de trabajos que podrías hacer. Eso sí, tienes que deshacerte del Cadillac, entiérralo. El Cadillac no encajaría en la vida que vas a tener que llevar y...

—¡Ahórratelo! —Lilly lo interrumpió, irritada, describiendo un gesto cortante con la mano—. Te quedas ahí sentado diciéndome lo que tengo que hacer... Un tipo tan retorcido que tiene que comerse la sopa con sacacorchos.

—No debería tener que decírtelo. Tendrías que verlo por ti misma. —Roy se echó hacia delante con un gesto suplicante—. Un trabajo honrado y una vida tranquila son tu única salida, Lil. Si apareces por las pistas, los chicos de Bobo se te echarán encima.

—¡Eso ya lo sé, maldita sea! Sé que tengo que volar bajo y lo haré, pero...

—Es un buen consejo, Lilly. Yo mismo lo voy a seguir.

—¡Ya, claro! ¡Seguro que vas a dejarlo!

—¿Y qué tiene de extraño? Era lo que tú querías, no dejabas de presionarme.

—Vale —dijo Lilly—. Entonces vas de bueno. Siendo así, no necesitas el dinero, ¿no? Ni lo necesitas ni lo quieres. Entonces ¿por qué demonios no vas a dármelo?

Roy suspiró. Intentó hacerle entender el porqué, explicarle de un modo plausible su actitud, que aunque le doliera, estaba actuando por el bien de ella. Pero cuando le hablaba, cuando contemplaba su angustia, sin querer admitirlo, su mente experimentaba un sádico regocijo. Tal vez provenía de los recuerdos de su infancia, enraizados en lo más profundo, lejos, en la época en la que había conocido la necesidad y el deseo que le habían sido negados porque tal negación era buena para él. Ahora era su turno. Ahora podía hacer lo justo, y sí, lo justo sencillamente era no hacer nada. Sí, sí, ahora el chulo disciplinaba a su puta escuchando sus súplicas y asestándole un nuevo golpe. Ahora él era el marido sabio y fuerte que se metía a su esposa en un puño. Ahora su subconsciente prestaba atención al lazo que existía entre ellos, el impúdico, prohibido y hasta ahora no admitido lazo. Y por eso debía protegerla, mantenerla alejada del peligro al que el dinero inevitablemente la conduciría. Mantenerla disponible...

—Oye, mira, Lilly —dijo intentando razonar—. Ese dinero no te duraría eternamente. Puede que unos siete u ocho años. ¿Qué harías luego?

—Bueno, ya se me ocurrirá algo. Por eso no te preocupes.

Roy asintió pausadamente.

—Sí —dijo—. Ya se te ocurrirá algo. Otro rollo peor. Otro Bobo Justus que te abofetee y te haga agujeros en la mano. Ese sería el resultado, Lilly, ese u otro peor. Si no puedes cambiar ahora que aún eres relativamente joven, ¿cómo vas a hacerlo cuando llegues a los cincuenta?

¿Cincuenta? La palabra la transportaba a ancianos sonidos, al hedor de lo oculto, la acercaba a la boca de lobo de la muerte...

¿Y Carol? Ah, sí, Carol. Una chica preciosa, una chica deseable. Tal vez, excepto por el hasta ese momento inadmitido lazo, LA chica. Pero ahora tan solo un señuelo, un peón en el tablero de la vida, muerte... y amor... entre Roy y Lillian Dillon. Así que...

—Así están las cosas, Lil —dijo Roy—. No puedo dejar que te lleves ese dinero. Quiero decir, eh...

Su voz se desvaneció poco a poco, sus ojos intentaban apartarse de los de ella. Al cabo de un instante Lilly asintió.

—Sé lo que quieres decir —dijo—. Creo que lo sé.

—Bien... —Gesticuló con las manos, sintiéndose repentinamente incómodo—. Es bastante simple.

—Sí. Es bastante simple. Muy simple. Y también es algo más.

Había un peculiar brillo en sus ojos, una extraña tirantez en su rostro, una apagada afonía en su voz. Mirándolo, estudiándolo, cruzó lentamente una pierna sobre la otra.

—Somos delincuentes, Roy. Admitámoslo...

—No tenemos por qué serlo, Lil. Voy a hacer borrón y cuenta nueva, así que tú también puedes.

—Pero siempre hemos tenido clase. Hemos mantenido nuestras vidas privadas sin tacha. Ha habido ciertas cosas que no habríamos hecho...

—¡Lo sé! ¡Por eso no hay problema! Puedo..., podemos...

La pierna se balanceaba delicadamente, insinuándose, hablándole, manteniéndolo hipnotizado.

—Roy, ¿qué pasaría si te dijera que no soy realmente tu madre?, ¿que no somos parientes?

—¿Eh? —Levantó la mirada, perplejo—. Bueno, yo...

—Te gustaría, ¿no? Claro que te gustaría. No hace falta que me lo digas. ¿Por qué te gustaría, Roy?

Tragó saliva dolorosamente, intentó mostrar una sonrisa de indiferencia. Todo se le escapaba de las manos, de sus manos, para pasar a las de ella. Enmudeció, se sentía esclavo de la repentina clarividencia de sus sentimientos, de la repentina comprensión de su propio ser.

—Roy... —Un susurro que apenas podía oír.

—¿Sí? —De nuevo, tragó saliva dolorosamente—. ¿Sí?

—Quiero el dinero, Roy. Tiene que ser mío. Así que ¿qué tengo que hacer para conseguirlo?

—Lilly —dijo, o intentó decir, y tal vez llegó a decir lo que intentaba—. Lilly, sabes que no puedes continuar como hasta ahora; sabes que te atraparán, te matarán. Sabes que solo intento ayudarte. Si no significaras tanto para mí, dejaría que te llevaras el maldito dinero. Pero tengo que detenerte, tengo... tengo...

—Tal vez... —Lilly quería hacer las cosas bien—. ¿Quieres decir de verdad que no vas a dármelo, Roy? ¿No me lo vas a dar? ¿O me lo darás? ¿No puedo hacerte cambiar de opinión? ¿Qué puedo hacer para conseguirlo?

¿Cómo podía él explicárselo? ¿Cómo podía explicar lo inexplicable? Y ella se levantó y se acercó a él con la misma gracia tentadora con la que Moira acostumbraba a moverse... Moira, otra mujer mayor que él y que en esencia había sido Lilly... Intentó explicárselo. Y aquella confusión era suficiente para Lilly.

—¿Por qué no te terminas el agua, querido? —dijo ella.

Y agradecido, acogiendo aquel breve respiro, Roy levantó su vaso. Y Lilly, sujetando con fuerza su pesado bolso, lo balanceó con toda su fuerza.

«Es culpa mía —se dijo a sí misma—. El modo en que lo crie, su edad, la mía. Reñía y le armaba jaleos como si fuese mi hermano. Es culpa mía, obra mía. Pero ¿qué demonios puedo hacer ya?».

El bolso se estrelló contra el vaso y lo hizo añicos. Se abrió por el aire y escupió el dinero en un torrente verde. Un torrente salpicado y teñido de rojo.

Lilly lo contempló sobrecogida. Contempló la chorreante herida en el cuello de su hijo. Él se levantó tambaleante de su silla, asiéndose desesperadamente a ella, y un horrible fragmento de cristal rezumaba entre sus dedos. Y dijo escupiendo sangre:

—Lil, yo, ¿por quééé...?

Y sus rodillas se doblaron y se desplomó boca abajo sobre la alfombra de billetes manchados de rojo.

Y todo se terminó así de rápido. Se terminó antes de que ella pudiera decir algo o disculparse... si es que había algo que decir o por lo que disculparse.

Comenzó a separar con un pie el dinero que no estaba manchado, formando un montón. Lo envolvió en una toalla del baño que se metió entre la ropa y luego echó un último vistazo a la habitación.

Parecía que todo quedaba claro. Su hijo había sido asesinado por Moira, por alguien que no existía. Claro que habría huellas dactilares suyas por toda la habitación, pero eso no significaba nada. Después de todo, ella había visitado a Roy en alguna ocasión, y además Lilly Dillon estaba oficialmente muerta.

«Y tal vez sea verdad —pensó—. ¡Tal vez desearía estarlo!».

Abrazándose a sí misma, dejó que sus ojos se posaran sobre su hijo. Un brusco sollozo le recorrió todo el cuerpo y rompió a llorar sin control.

Pero se le pasó.

Se rio. Miró aquello que había en el suelo casi con sarcasmo.

«Bien, chico, es solo un cuello, ¿eh?».

Y después salió de la habitación y del hotel y se adentró en la ciudad de Los Ángeles.

JIM THOMPSON

Aquí y ahora

Tras la fachada amable de una sociedad aparentemente idílica, la California de la Segunda Guerra Mundial no siempre era un paraíso soleado bañado por el mar. Al menos, no lo era para aquellos que vivían a la sombra de la miseria y de la exclusión social. *Aquí y ahora* es el crudo retrato de un submundo que lucha por sobrevivir en esa América que prefiere ignorar la realidad que se oculta tras el éxito y el bienestar.

El asesino dentro de mí

En Central City, una localidad petrolera al oeste de Texas, la vida era muy apacible hasta que el sheriff adjunto, Lou Ford, a quien todos tenían por un hombre tranquilo y afable, empieza a experimentar recidivas de «la enfermedad» que le hizo cometer un crimen en su juventud. Una obra maestra que Michael Winterbottom llevó a la gran pantalla en 2010.

Libertad condicional

Pat Cosgrove lleva años en prisión por un atraco a un banco. Si no quiere pasarse allí el resto de su vida, alguien deberá avalar su libertad condicional. Tras escribir algunas cartas, aparece su ángel de la guarda, Doc Luther, que además le ofrece un trabajo. Pero ¿realmente hay alguien capaz de dar segundas oportunidades a cambio de nada?

Noche salvaje

Un hombre que se hace llamar Carl Bigelow llega a Peardale, una población de mala muerte situada a unos ciento cincuenta kilómetros de la ciudad de Nueva York. Nadie se acercaría a un lugar como ese sin una razón de peso pero, desde luego, Bigelow la tiene. A pesar de ser alguien con un aspecto aparentemente inofensivo, ha viajado hasta allí para cumplir un escalofriante encargo: matar al testigo de un crimen.

Una mujer endemoniada

¿Quién tiene la potestad de perdonar una vida o de dar muerte? En el caso de Dillon, un vendedor a domicilio de dudosa moral, todos los dilemas desaparecen cuando conoce a la joven y frágil Mona, que durante años ha sido víctima de las maldades de su tía, una rica anciana que ha llegado a convertirla prácticamente en una prostituta. ¿No merece la muerte un ser tan despreciable, lascivo, corrupto y podrido?

Un cuchillo en la mirada

Cuando William «Kid» Collins, una antigua estrella del boxeo, se escapa del centro psiquiátrico donde está recluido, nada le hace pensar que la vida fuera de ahí es realmente de locos. Con una conducta condicionada por los golpes recibidos a lo largo de su carrera profesional, Kid bascula entre su exquisita amabilidad y sus repentinos brotes de violencia que lo convierten en una máquina de matar.

El exterminio

Luane Devore está a punto de ser asesinada. Es su tema preferido de conversación. Y nadie sabe quién va a ser el asesino. Podría ser el joven marido al que tiene sometido de una forma inquietante. O el médico insigne con un vergonzoso secreto en su pasado. O cualquiera de la media docena de personas cuya reputación se ha visto mancillada por las maliciosas habladurías de Luane. Es simple cuestión de tiempo.

La huida

Doc McCoy es un encantador, amoral y calculador criminal que, tras salir de la cárcel, planifica el atraco a un banco de una pequeña ciudad de Texas junto con su esposa Carol y un peligroso psicópata, Rudy Torrento. Aunque el robo sale tal como lo habían planeado, la fuga hacia California para cruzar después la frontera mexicana se complica.

Los timadores

Lilly y su hijo Roy sobreviven al margen de la ley en un mundo que dista demasiado de ser un paraíso. Nacida en el seno de una familia deshecha y hostil, Lilly tuvo a Roy siendo muy joven y lo crio sorteando los reveses del destino, pero también con cierto egoísmo. Tras haberse distanciado durante años, madre e hijo se reencuentran en circunstancias excepcionales. Y seguirán haciendo del juego sucio y el crimen su único modo de vida.

1280 almas

El sheriff Nick Corey es un tipo en apariencia lerdo y vago, cuya máxima es que solo se detiene a un individuo cuando no hay más remedio. Los 1280 habitantes de Potts County están convencidos de su apatía y su simplicidad. Pero su deseo de ser reelegido para el cargo de sheriff hace que su comportamiento cambie para dejar de tener límites y escrúpulos.

Hijo de la ira

Allen, un joven negro criado por una madre blanca, que le ha sometido a abusos sexuales, dolor y soledad, sabe a sus dieciocho años que solo puede evitar el terror que siente ante las chicas de su edad humillándolas. Inteligente y cínico, descubrirá cómo ejecutar una venganza tan inesperada como cruel. Será mucho más fácil de lo que había pensado.

La sangre de los King

Para lograr amasar su gran fortuna y sus extensas propiedades, el despiadado Ike King ha impuesto siempre su propia ley y ha ido dejando a su paso un inconfundible rastro de sangre y violencia. Con los años, sus hijos han aprendido muy bien la lección. Tanto que ahora ninguno de ellos muestra el menor escrúpulo para quitar de en medio a todas aquellas personas que se interpongan en su camino, aunque se trate de miembros de su propia familia.